Todas as suas imperfeições

Obras da autora publicadas pela Galera Record

Série **Slammed**
Métrica
Pausa
Essa garota

Série **Hopeless**
Um caso perdido
Sem esperança
Em busca de Cinderela
Em busca da perfeição

Série **Nunca jamais**
Nunca jamais
Nunca jamais: parte 2
Nunca jamais: parte 3

Série **Talvez**
Talvez um dia
Talvez agora

O lado feio do amor
Talvez um dia
Novembro, 9
Confesse
É assim que acaba
Tarde demais
As mil partes do meu coração
Todas as suas (im)perfeições
Verity
Se não fosse você
Layla
Até o verão terminar

Colleen Hoover

Todas as suas imperfeições

Tradução
Adriana Fidalgo

7ª edição

— **Galera** —
RIO DE JANEIRO

2024

EDITORA-EXECUTIVA
Rafaella Machado

COORDENADORA EDITORIAL
Stella Carneiro

EQUIPE EDITORIAL
Juliana de Oliveira
Isabel Rodrigues

Lígia Almeida
Manoela Alves

CAPA
Gabriella Gouveia

TÍTULO ORIGINAL
All your perfects

CIP-BRASIL. CATALOGAÇÃO NA PUBLICAÇÃO
SINDICATO NACIONAL DOS EDITORES DE LIVROS, RJ

H759t

Hoover, Collen, 1979-
Todas as suas (im)perfeições / Collen Hoover; tradução Adriana Fidalgo. – 7ª ed. – Rio de Janeiro: Galera, 2024.

Tradução de: All your perfects
ISBN 978-65-5981-126-7

1. Romance americano. I. Fidalgo, Adriana. II. Título.

22-76023

CDD: 813
CDU: 82-31(73)

Meri Gleice Rodrigues de Souza – Bibliotecária – CRB-7/6439

Copyright © 2018 by Collen Hoover
Copyright da edição em português © 2019 por Editora Galera Record Ltda.

Publicado mediante acordo com a editora original, Atria Books,
um selo da Simon & Schuster, Inc.

Todos os direitos reservados.
Proibida a reprodução, no todo ou em parte, através de quaisquer meios.
Os direitos morais do autor foram assegurados.

Texto revisado segundo o novo Acordo Ortográfico da Língua Portuguesa.

Direitos exclusivos de publicação em língua portuguesa somente para o Brasil
adquiridos pela
EDITORA RECORD LTDA.
Rua Argentina, 120 – Rio de Janeiro, RJ – 20921-380 – Tel.: (21) 2585-2000,
que se reserva a propriedade literária desta tradução.

Impresso no Brasil

ISBN 978-65-5981-126-7

Seja um leitor preferencial Record.
Cadastre-se e receba informações sobre nossos
lançamentos e nossas promoções.

Atendimento e venda direta ao leitor:
sac@record.com.br

Para Heath.
> Eu te amo hoje mais do que jamais amei.
> Obrigada por ser genuíno.

Capítulo um

Antes

O porteiro não sorriu para mim. Sou atormentada por esse pensamento durante todo o trajeto de elevador até o andar de Ethan. Vincent é meu porteiro favorito desde que Ethan se mudou para este prédio. Ele sempre sorri e conversa comigo. Mas, hoje, simplesmente abriu a porta com uma expressão indiferente. Não disse nem um *Oi, Quinn, como foi a viagem?*

Mas acho que todos temos dias ruins.

Checo meu celular e vejo que já passa das sete. Ethan deve chegar às oito, então tenho bastante tempo para preparar tudo. Quero surpreendê-lo com o jantar. *E comigo*. Cheguei um dia antes, mas decidi não avisar. Temos andado tão ocupados planejando o casamento; já faz semanas desde que tivemos uma refeição caseira juntos. E que fizemos sexo.

Quando chego ao andar de Ethan, hesito assim que saio do elevador. Um sujeito está marchando bem na frente do apartamento. Ele dá três passos, então para e olha para a porta; avança outros três passos na direção contrária e se detém de novo. Eu fico observando, esperando que vá embora, mas isso não acontece. Ele apenas continua andando de um lado para o outro, encarando a porta do apartamento. Não acho que seja amigo de Ethan. Eu o reconheceria se fosse.

Caminho na direção dele e pigarreio. O sujeito me encara, e eu aceno para a porta, indicando que preciso passar. Ele dá um passo para o lado, abrindo espaço, e evito um contato visual desnecessário. Procuro a chave na bolsa. Quando a encontro, ele para ao meu lado, pressionando a palma da mão na porta.

— Você vai entrar aí?

Olho para ele, e então para a porta de Ethan. *Por que ele está me perguntando isso?* Meu coração acelera com a ideia de estar sozinha em um corredor, exceto por um estranho questionando se estou prestes a abrir a porta de um apartamento vazio. *Será que ele sabe que Ethan não está em casa? Sabe que estou sozinha?*

Pigarreio e tento esconder o medo, embora o sujeito pareça inofensivo. Mas acho que o mal não tem cara, então não dá para saber.

— O meu noivo mora aqui. Ele está aí dentro — minto.

O rapaz assente com veemência.

— É. Ele está mesmo aí dentro. — Ele cerra o punho e bate na parede ao lado da porta. — Está aí dentro fodendo a minha namorada.

Tive aulas de defesa pessoal uma vez. O instrutor nos ensinou que devemos segurar uma chave entre os dedos, apontada para fora, assim, se formos atacadas, podemos acertar o agressor no olho. Então me preparo para o ataque do psicopata, que deve acontecer a qualquer momento.

Ele exala, e não consigo deixar de notar que o ar se enche com um perfume de canela. Que coisa estranha para se pensar quando estou prestes a ser atacada. Isso soaria muito bizarro na delegacia. *Ah, não consigo dizer o que meu agressor estava vestindo, mas seu hálito cheirava bem. Como chiclete.*

— Apartamento errado — aviso a ele, torcendo para que vá embora sem discussão.

Ele balança a cabeça em pequenos movimentos bruscos, indicando que eu não poderia estar mais errada, e ele, mais certo.

— É o apartamento certo. Tenho certeza. Seu noivo tem um Volvo azul?

Ok, então ele está perseguindo Ethan? Minha boca fica seca; um copo de água cairia bem agora.

— Ele tem mais ou menos 1,80 metro? Cabelo preto, usa uma jaqueta da North Face grande demais?

Pressiono uma das mãos na barriga. *Vodca cairia bem.*

— Seu noivo trabalha para o Dr. Van Kemp?

Agora *eu* sacudo a cabeça. Ethan não apenas trabalha para o Dr. Van Kemp... Seu pai *é* o Dr. Van Kemp. *Como esse cara sabe tanto sobre Ethan?*

— Minha namorada trabalha com ele — revela, olhando para a porta do apartamento com repugnância. — *Mais* do que trabalha, pelo visto.

— Ethan nunca...

Sou interrompida por aquilo. *A foda.*

Ouço o nome de Ethan em um leve sussurro. Pelo menos parece um sussurro deste lado da porta. O quarto de Ethan fica na outra extremidade do apartamento, o que significa que, seja quem for, ela não está sendo muito discreta. Está gritando o nome dele.

Enquanto ele trepa com ela.

No mesmo instante, me afasto da porta. A realidade do que está acontecendo ali dentro me deixa enjoada. Todo o meu mundo fica incerto. Meu passado, meu presente, meu futuro; tudo está saindo do controle. O sujeito segura meu braço e me ampara.

— Você está bem? — Ele me apoia contra a parede. — Desculpe. Eu não devia ter jogado as coisas na sua cara assim.

Abro a boca, mas só consigo demonstrar minhas dúvidas.

— Você... tem certeza? Talvez esse barulho não venha do apartamento de Ethan. Talvez seja um casal no apartamento ao lado.

— Que conveniente! O vizinho de Ethan também se chama Ethan?

É uma pergunta sarcástica, mas vejo o arrependimento em seus olhos no mesmo instante. É legal de sua parte; sentir pena de mim quando está ocupado demais com sua própria situação.

— Eu segui os dois — explica ele. — Estão juntos aí dentro. Minha namorada e seu... namorado.

— Noivo — corrijo.

Cruzo o corredor e me encosto à parede antes de escorregar para o chão. Talvez não devesse me agachar assim, porque estou de saia. Ethan gosta de saias, por isso achei que seria uma roupa legal para vestir, mas agora tudo o que quero é arrancar a peça, enrolá-la em seu pescoço e enforcá-lo. Fixo o olhar em meus sapatos por tanto tempo que mal noto que o sujeito se sentou ao meu lado, até que pergunta:

— Ele está esperando você?

Balanço a cabeça.

— Era uma surpresa. Estive fora da cidade com minha irmã.

Mais um grito abafado abre caminho através da porta. O rapaz ao meu lado se encolhe e tampa os ouvidos. Também tampo os meus. Ficamos assim por um momento, nos recusando a permitir que qualquer som invada nossa audição até que tudo tenha acabado. Não deve demorar. Ethan não consegue continuar por mais do que alguns minutos.

— Acho que terminaram — digo, dois minutos depois. Ele tira a mão das orelhas e apoia os braços sobre os joelhos. Abraço os meus joelhos, pousando o queixo nos braços. — Será que a gente deveria abrir a porta? Confrontar os dois?

— Não posso. Preciso me acalmar primeiro.

Ele parece bem calmo. A maioria dos homens que conheço estaria arrombando a porta neste momento.

Nem tenho certeza se quero confrontar Ethan. Parte de mim só pensa em ir embora e fingir que os últimos minutos não aconteceram. Eu poderia mandar uma mensagem avisando que cheguei mais cedo, e ele me diria que estava trabalhando até mais tarde, então eu continuaria ignorante e feliz.

Ou eu poderia ir para casa, queimar tudo, vender o vestido de noiva e bloquear o número dele.

Não, minha mãe nunca permitiria.

Ah, meu Deus. Minha mãe.

Solto um gemido, e o sujeito imediatamente se empertiga.

— Você vai vomitar?

Balanço a cabeça.

— Não. Eu não sei. — Levanto a cabeça e me recosto na parede. — Acabou de me ocorrer que minha mãe vai ficar muito puta.

Ele relaxa ao constatar que não estou gemendo por nenhum problema físico, mas por medo da reação da minha mãe ao descobrir que o casamento vai ser cancelado. Porque definitivamente vai ser cancelado. Perdi a conta de quantas vezes ela mencionou como era alto o depósito para entrar na lista de espera do lugar. "Tem noção de quantas pessoas gostariam de casar no Douglas Whimberly Plaza? Evelyn Bradbury casou lá, Quinn. *Evelyn Bradbury!*"

Minha mãe ama me comparar a Evelyn Bradbury, cuja família é uma das poucas em Greenwich mais proeminentes que a do meu padrasto. Então é óbvio que minha mãe usa Evelyn Bradbury como exemplo de perfeita sofisticação em todas as ocasiões. Não ligo para Evelyn Bradbury. Fico tentada a mandar uma mensagem para minha mãe neste instante, dizendo: **O casamento está cancelado e não dou a mínima para Evelyn Bradbury.**

— Qual é seu nome? — pergunta o rapaz.

Olho para ele e percebo que é a primeira vez que o enxergo de verdade. É possível que este seja um dos piores momentos da sua vida, mas, mesmo levando isso em consideração, ele é muito bonito. Tem olhos castanho-escuros expressivos, que combinam com o cabelo rebelde. O maxilar é bem-definido, permanentemente tensionado com raiva silenciosa desde que saí do elevador. Os lábios carnudos se comprimem em uma linha fina toda vez que ele olha para a porta. Me pergunto se suas feições pareceriam mais suaves se a namorada não estivesse lá dentro com Ethan neste exato momento.

Ele emana uma certa aura de tristeza. Nada relacionado à presente circunstância. Algo mais profundo... como se fosse inerente a ele. Conheci pessoas que sorriam com os olhos, mas ele faz careta com os dele.

— Você é mais bonito que Ethan. — Meu comentário o pega de surpresa. Sua expressão é tomada pela confusão; deve pensar que estou dando em cima dele. É a última coisa que se passaria em minha mente no momento. — Não é um elogio. É uma simples constatação.

Ele dá de ombros, como se não se importasse.

— É só que, se você é mais bonito que Ethan, sua namorada deve ser mais bonita que eu. Não que eu me importe. Talvez me importe. Não *deveria* me importar, mas não consigo deixar de imaginar se Ethan se sente mais atraído por ela que por mim. Será que é por isso que ele está me traindo? Provavelmente é. Me desculpe. Normalmente não sou tão autodepreciativa, mas estou com tanta raiva e, por alguma razão, não consigo parar de falar.

Ele me encara por um momento, analisando minha estranha linha de raciocínio.

— Sasha é feia. Não precisa se preocupar.

— Sasha? — pergunto, incrédula, antes de repetir o nome, dando ênfase ao *sha*: — Sa*sha*. Isso explica muita coisa.

Ele ri, e então *eu* rio, o que é uma coisa curiosa; rir quando devia estar chorando. Por que não estou chorando?

— Eu sou Graham. — Ele estende a mão.

— Quinn.

Até mesmo seu sorriso parece triste. Eu me pergunto se seu sorriso seria diferente em outras circunstâncias.

— Eu diria que é um prazer conhecê-la, Quinn, mas este é o pior dia da minha vida.

Aquela é uma verdade infeliz.

— Da minha também — admito, frustrada. — Mas estou aliviada por ter encontrado você agora, e não no mês que vem, depois do casamento. Pelo menos não vou desperdiçar meus votos de casamento com ele.

— Você ia se casar daqui a um mês? — Graham desvia o olhar. — Que babaca! — xinga, baixinho.

— É mesmo. — Eu sempre soube disso. Ethan é um babaca. Pretensioso. Mas ele é um bom companheiro. *Ou eu pensava que fosse.*

Eu me inclino mais uma vez e passo as mãos pelo cabelo.

— Meu Deus, que saco.

Como sempre, minha mãe tem um timing impecável para mandar mensagens. Pego o celular e olho para a tela.

A prova do bolo foi adiada para as duas horas, no sábado. Não almoce antes. Ethan vai com a gente?

Suspiro com o corpo todo. Estava mais ansiosa para a prova do bolo que por qualquer outra etapa dos preparativos do casamento. Talvez eu consiga não contar a ninguém sobre o cancelamento até domingo.

O elevador apita, e desvio minha atenção do telefone para as portas. Quando elas se abrem, sinto um nó na garganta. Minha mão aperta o celular quando vejo as embalagens de comida para viagem. O entregador começa a andar em nossa direção, e meu coração bate no mesmo ritmo dos passos. *Esfregando sal na ferida com classe, Ethan.*

— Comida chinesa? Tá de sacanagem! — Eu me levanto e olho para Graham, que ainda está sentado no chão, me encarando. Aceno em direção à comida chinesa. — Essa é uma mania *minha!* Não de Ethan! Sou *eu* que gosto de comida chinesa depois do sexo! — Eu me viro para o entregador, e ele está paralisado, olhando para mim, em dúvida se deve seguir para a porta ou não. — Me dê isso! — Pego as sacolas. Ele nem questiona. Despenco de novo no chão, com dois sacos de comida chinesa, e começo a bisbilhotar o conteúdo. Fico puta ao descobrir que Ethan copiou meu pedido usual. — Ele até pediu a mesma coisa! Está alimentando Sasha com a minha comida chinesa!

Graham se ergue de um pulo e tira a carteira do bolso. Paga pela comida, então o pobre entregador abre a porta da escada e sai do corredor mais rápido que se tivesse de voltar até o elevador.

— Tem um cheiro bom — comenta Graham. Ele senta no chão e pega a embalagem com frango e brócolis.

Eu passo um garfo para ele e o deixo comer, embora seja meu prato preferido. Agora não é hora de bancar a egoísta. Pego a carne com batata imperial e começo a comer, mesmo sem fome. Mas me recuso a deixar Sasha ou Ethan provarem qualquer uma dessas comidas.

— Putos — resmungo.

— Putos sem comida — completa Graham. — Talvez os dois morram de fome.

Sorrio.

Em seguida como, imaginando quanto tempo vou continuar sentada no corredor com Graham. Não quero estar aqui quando a porta abrir, porque não quero descobrir como é Sasha. Mas também não quero perder o momento quando ela abrir a porta e der de cara com o namorado sentado no chão, comendo sua comida chinesa.

Então espero. E como. Com Graham.

Depois de alguns minutos, ele pousa a embalagem e vasculha a sacola, pegando dois biscoitos da sorte. Me entrega um e começa a abrir o seu. Graham quebra o biscoito e desenrola o pedaço de papel, então lê sua sorte em voz alta:

— Você terá sucesso em uma grande empreitada comercial hoje. — Ele dobra o papel ao meio depois de ler. — Faz sentido. Fui dispensado do trabalho hoje.

— Merda de biscoito da sorte — murmuro.

Graham amassa sua sorte em uma pequena bola e a joga na porta de Ethan. Abro meu biscoito e puxo o papel de dentro.

— Se você iluminar apenas as suas *in*perfeições, todas as suas qualidades ficarão na sombra.

— Gostei — diz ele.

Amasso o papel e o jogo na porta do apartamento, como Graham fez.

— Sou viciada em ortografia. O correto é *im*perfeições. Com "m".

— É por isso que gostei. A única palavra que erraram foi imperfeições. Meio irônico. — Ele engatinha e pega a bolinha de papel, então se esgueira de volta à parede e me entrega. — Acho que você devia ficar com ela.

Imediatamente afasto sua mão e a sorte.

— Não quero uma lembrança deste momento.

Ele me encara, pensativo.

— É. Nem eu.

Acho que nós dois estamos cada vez mais nervosos ante a perspectiva de a porta ser aberta, então ficamos em silêncio e apenas prestamos atenção nas vozes. Graham desfia o rasgo no joelho direito de seu jeans até que haja um pequeno amontoado de fiapos no chão e quase nenhum cobrindo o buraco. Pego um dos fios e o enrolo nos dedos.

— Costumávamos brincar de um jogo de palavras on-line, à noite — revela ele. — Eu era muito bom. Ensinei o jogo a Sasha, mas ela sempre ganhava. Toda maldita noite. — Ele estica as pernas. São bem mais longas que as minhas. — Eu ficava impressionado até que vi uma despesa de oitocentos dólares em seu extrato bancário. Ela estava comprando letras extras a cinco dólares só para ganhar de mim.

Tento visualizá-lo jogando no laptop à noite, mas é difícil. Ele parece o tipo de cara que lê romances, limpa o apartamento duas vezes ao dia e dobra as próprias meias, então coroa tamanha perfeição com uma corrida matinal.

— Ethan não sabe nem trocar um pneu. Passamos por isso duas vezes desde que estamos juntos, e ele teve que chamar um reboque em ambas.

Graham balança a cabeça de leve.

— Não quero arranjar uma desculpa para o que esse babaca fez, mas isso não é tão ruim. Muitos caras não sabem trocar um pneu — argumenta ele.

— Eu sei. Essa não é a parte ruim. A parte ruim é que *eu* sei como trocar um pneu. Mas ele me proibiu porque seria vergonhoso para ele ficar parado enquanto uma mulher trocava seu pneu.

Tem algo diferente na expressão de Graham. Algo que não notei antes. Preocupação, talvez? Ele me encara, sério.

— *Não* o perdoe por isso, Quinn.

Sinto um aperto no peito ao ouvir as palavras.

— Não vou — asseguro, com absoluta determinação. — Não quero ele de volta depois disso. Mas não sei por que não estou chorando. Talvez seja um sinal.

Ele tem um brilho perspicaz no olhar, mas, em seguida, as linhas ao redor de seus olhos parecem se acentuar.

— Você vai chorar hoje à noite. Na cama. É quando dói mais. Quando se está sozinho.

Aquele comentário torna tudo mais opressivo de repente. Não quero chorar, mas sei que a ficha vai cair a qualquer minuto. Conheci Ethan logo depois de começar a faculdade, e já estamos juntos há quatro anos. É muito a se perder em um instante. E, mesmo que eu entenda que acabou, não quero confrontá-lo. Quero apenas ir embora e esquecê-lo. Não preciso dar um fim em nada nem ganhar uma explicação, mas tenho medo de precisar de ambos quando estiver sozinha à noite.

— Talvez devêssemos fazer uns exames.

As palavras de Graham e o medo que me consome ao ouvi-las são interrompidos pelo som da voz abafada de Ethan.

Ele está caminhado em direção à porta. Eu me viro para olhar a entrada do apartamento, mas Graham toca meu rosto e recobra minha atenção.

— A pior coisa que podemos fazer agora é mostrar emoção, Quinn. Não fique zangada. Não chore.

Mordo o lábio e assinto, tentando reprimir todas as coisas que tenho vontade de gritar.

— Ok — sussurro, no momento em que a porta do apartamento de Ethan começa a se abrir.

Tento manter a compostura, como Graham está fazendo, mas a iminente presença de Ethan me deixa nauseada. Nenhum de nós olha para a porta. O olhar de Graham é severo, e ele respira com firmeza enquanto mantém o foco em mim. Nem posso imaginar o que Ethan vai pensar quando abrir a porta, em dois segundos. A princípio, não vai me reconhecer. Vai achar que somos dois estranhos sentados no corredor do prédio.

— Quinn?

Fecho os olhos quando escuto Ethan dizer meu nome. Não me viro em direção à voz. Ouço quando ele dá um passo para fora do apartamento. Posso sentir meu coração por toda a parte agora, mas principalmente na sensação das mãos de Graham em meu rosto. Ethan repete meu nome, porém é mais um comando para encará-lo. Abro os olhos, mas os mantenho em Graham.

A porta se abre ainda mais, e alguém arqueja, em choque. *Sasha.* Graham pisca e fecha os olhos por um longo momento enquanto inspira para se acalmar. Quando ele os abre, Sasha fala:

— Graham?

— Merda — resmunga Ethan.

Graham não olha para eles. Continua a me encarar. Como se nossas vidas não estivessem desmoronando ao nosso redor, Graham me pergunta, calmamente:

— Quer que eu desça com você?

Assinto com a cabeça.

— Graham! — Sasha pronuncia o nome como se tivesse o direito de se sentir irritada por ele estar aqui.

Graham e eu nos levantamos. Nenhum de nós olha na direção do apartamento de Ethan. Graham aperta minha mão com firmeza conforme me guia até o elevador.

Ela está bem atrás de nós, em seguida ao nosso lado, enquanto esperamos o elevador. Está flanqueando Graham, puxando a manga de sua camisa. Ele aperta minha mão com mais força, então imito seu gesto, deixando evidente que podemos fazer isso sem uma cena. Vamos apenas entrar no elevador e partir.

Quando a porta se abre, Graham me conduz primeiro, depois entra. Não deixa espaço para Sasha nos seguir. Ele bloqueia a entrada, e somos forçados a olhar para as portas. Para Sasha. Ele aperta o botão do térreo, e só levanto o olhar quando as portas começam a fechar.

Percebo duas coisas:

1) Ethan não está mais no corredor, e a porta do apartamento está fechada.
2) Sasha é muito mais bonita que eu. Mesmo chorando.

As portas se fecham, e o caminho até o térreo é longo e tranquilo. Graham não solta minha mão, e não conversamos, mas também não choramos. Saímos em silêncio do elevador e cruzamos o saguão. Quando chegamos à porta, Vincent a abre para nós e nos encara como se pedisse desculpas com o olhar. Graham pega a carteira e dá um punhado de notas ao porteiro.

— Obrigado pelo número do apartamento — agradece Graham.

Vincent assente e pega o dinheiro. Quando seus olhos encontram os meus, estão nadando em arrependimento. Eu lhe dou um abraço, já que é provável que nunca mais o veja.

Do lado de fora, paramos na calçada, atônitos. Será que o mundo parece diferente para Graham agora? Porque certamente parece para mim. O céu, as árvores, as pessoas passando por nós na calçada. Tudo está um pouco mais decepcionante do que antes de eu entrar no prédio de Ethan.

— Quer que eu chame um táxi para você? — pergunta ele, por fim.

— Vim de carro. Está ali. — Aponto para o outro lado da rua.

Ele olha para o prédio atrás de nós.

— Quero dar o fora antes que ela desça. — Graham parece genuinamente preocupado, como se não pudesse encará-la no momento.

Pelo menos Sasha está tentando. Ela seguiu Graham até o elevador, ao passo que Ethan apenas voltou para o apartamento e fechou a porta.

Graham olha para mim de novo, as mãos enfiadas nos bolsos da jaqueta. Aperto o casaco em volta do corpo. Não há muito o que dizer a não ser adeus.

— Adeus, Graham.

Seu olhar é vago, como se nem estivesse presente. Ele recua um passo. Dois passos. Então se vira e começa a andar na outra direção.

Olho para o prédio no momento em que Sasha irrompe pela porta. Vincent está logo atrás, me encarando. Ele acena para mim, então levanto a mão e retribuo o gesto. Ambos sabemos que é um adeus, porque jamais colocarei os pés no prédio de Ethan de novo. Nem mesmo para pegar minhas coisas, espalhadas pelo apartamento. Prefiro que ele as jogue fora a ter que olhar para sua cara outra vez.

Sasha olha para a esquerda, depois para a direita, esperando encontrar Graham. Não o encontra. Apenas a mim. Será que ela sequer sabe quem sou? Será que Ethan contou que iria se casar daqui a um mês? Será que falou que conversamos ao telefone essa manhã, e que ele confessou estar contando os segundos para poder me chamar de esposa? Será que ela sabe que, quando durmo em seu apartamento, Ethan se recusa a tomar banho sem mim? Será que ele disse que os lençóis onde foderam foram um presente de noivado de minha irmã?

Será que ela sabe que ele chorou quando eu aceitei seu pedido de casamento?

Ela não deve ter se dado conta disso ou não teria jogado fora o relacionamento com um cara que em uma hora me impressionou mais que Ethan em quatro anos.

Capítulo dois

Agora

Nosso casamento não desmoronou. Não ruiu de súbito. Tem sido um processo muito mais lento.

Ele vem se *desgastando*, digamos assim.

Não sei nem quem é o culpado. Começamos bem, mais confiantes que a maioria. Tenho certeza disso. Mas ao longo dos últimos anos, vacilamos. O mais perturbador é o quanto somos talentosos em fingir que nada mudou. Não tocamos no assunto. Somos parecidos em muitas coisas, uma delas é a nossa habilidade em evitar as coisas que mais precisam de atenção.

Em nossa defesa, é difícil admitir que um casamento possa ter acabado quando ainda existe amor. As pessoas acreditam que um casamento só termina quando não há mais amor. Quando a raiva suplanta a felicidade. Quando o desdém substitui a alegria. Mas Graham e eu não estamos zangados um com o outro. Apenas não somos mais as pessoas que costumávamos ser.

Nem sempre as mudanças se refletem no casamento, porque, às vezes, os casais se movem juntos, na mesma direção. Mas, em outras, as pessoas tomam direções opostas.

Já faz tanto tempo que estou voltada na direção contrária à de Graham que nem me lembro de seu olhar quando ele está dentro de mim. Mas ele com certeza memorizou cada fio de cabelo da minha nuca após as inúmeras vezes que lhe dei as costas à noite.

Nem sempre as pessoas têm controle sobre o poder autotransformador das circunstâncias.

Olho para minha aliança de casamento e mexo nela com o polegar, girando-a em um círculo contínuo ao redor do dedo. Quando Graham a comprou, disse que o joalheiro lhe explicou que a aliança é um símbolo do amor eterno. Um laço infinito. O começo se torna o meio, e jamais deveria existir um fim.

Mas o joalheiro nunca disse, em nenhum momento, que o anel simbolizava eterna *felicidade*. Apenas eterno amor. O problema? Amor e felicidade não são coincidentes. Um pode existir sem o outro.

Observo meu anel, minha mão, a caixa de madeira que estou segurando, quando, do nada, Graham pergunta:

— O que você está fazendo?

Levanto a cabeça devagar, apesar da surpresa que sua súbita aparição no corredor me causou. Ele já havia tirado a gravata e aberto os três primeiros botões da camisa. Agora está apoiado no batente da porta, a curiosidade fazendo-o franzir o cenho enquanto me encara. Sua presença preenche o quarto.

Eu apenas o preencho com minha ausência.

Mesmo o conhecendo por tanto tempo, Graham ainda guarda um certo ar de mistério, transbordando dos olhos escuros e permeando todos os pensamentos jamais verbalizados. Sua quietude foi o que me atraiu quando nos conhecemos. Fez com que eu me sentisse em paz.

Engraçado como essa mesma quietude me deixa tensa agora.

Nem tento esconder a caixa de madeira em minhas mãos. É muito tarde; ele a observa intensamente. Desvio o olhar para ela. Estava guardada no sótão, intocada, quase esquecida. Eu a encontrei hoje, enquanto procurava meu vestido de casamento. Só queria ver se ainda cabia em mim. Sim, cabe, mas agora minha imagem parece bem diferente de sete anos atrás.

Parece mais solitária.

Graham avança alguns passos para dentro do quarto. Posso ver o medo contido em sua expressão conforme ele olha da caixa de madeira para mim, esperando que eu explique por que a estou segurando. Por que está no quarto. Por que sequer decidi tirá-la do sótão.

Não sei o porquê. Mas tê-la em mãos é uma decisão consciente, então não posso responder com um inocente "Eu não sei".

Ele se aproxima, e sinto o cheiro pungente de cerveja. Graham nunca teve o hábito de beber, a não ser às quintas, quando janta com os colegas de trabalho. Na verdade, gosto de seu cheiro nas noites de quinta-feira. Tenho certeza de que, se bebesse todo dia, eu acabaria desprezando aquele perfume, especialmente se ele não se controlasse. Seria um motivo de discórdia entre nós. Mas Graham está sempre no controle. Traça uma rotina e é fiel a ela. Essa é uma de suas características que considero mais sexy. Eu costumava ansiar por seu retorno nas noites de quinta. Algumas vezes, me arrumava para ele e o esperava, aqui mesmo na cama, antecipando o doce gosto de sua boca.

Eu ter me esquecido de ansiar por ele esta noite diz muita coisa.

— Quinn?

Posso ouvir todos os seus medos, silenciosamente esmagados entre cada letra do meu nome. Ele caminha em minha direção, e sustento seu olhar todo o tempo. Seus olhos parecem inseguros e preocupados. Não sei quando ele passou a me encarar assim. Graham costumava olhar para mim com diversão e reverência. Agora, seus olhos me inundam de piedade.

Estou cansada desse olhar, de não saber como responder suas perguntas. Já não estou em sintonia com meu marido. Não sei mais como me comunicar com ele. Às vezes, quando abro a boca, o vento parece soprar todas as minhas palavras garganta abaixo.

Sinto falta dos dias em que eu tinha de lhe contar tudo ou explodiria. E sinto falta de quando ele acreditava que o tempo que passávamos dormindo era um tempo perdido para nós. Certas manhãs, eu acordava e o flagrava me observando. Ele sorria, sussurrando "O que eu perdi enquanto você dormia?". Eu rolava de lado e lhe contava tudo sobre meus sonhos, e, às vezes, ele ria tanto que seus olhos se enchiam de lágrimas. Ele analisava os sonhos bons e subestimava os pesadelos. Sempre me fazia sentir que meus sonhos eram melhores que os de qualquer um.

Graham não pergunta mais o que perdeu enquanto eu dormia. Não sei se porque não se interessa mais, ou se porque não sonho com mais nada que valha a pena compartilhar.

Não me dou conta de que continuo girando a aliança até Graham estender a mão e interromper meu movimento colocando o dedo nela. Gentilmente, ele entrelaça nossos dedos e afasta minha mão da caixa. Eu me pergunto se é sua intenção reagir como se eu segurasse uma bomba, ou se ele se sente mesmo desse jeito no momento.

Ele ergue meu rosto e se inclina, beijando minha testa.

Fecho os olhos e sutilmente me afasto, fazendo parecer que ele já me pegou no meio do movimento. Seus lábios roçam minha pele quando me afasto da cama, forçando-o a me soltar, e o vejo recuar um passo.

Eu chamo isso de dança do divórcio. Parceiro um tenta um beijo, parceiro dois não é receptivo, parceiro um finge não notar. Temos dançado essa coreografia já faz algum tempo.

Pigarreio, as mãos apertando a caixa enquanto a levo até a estante.

— Eu a encontrei no sótão — explico, então me inclino e coloco a caixa entre dois livros, na prateleira de baixo.

Graham fez essa estante para mim, como presente de um ano de casamento. Fiquei tão impressionada por ele tê-la construído do nada, com as próprias mãos. Lembro que uma farpa entrou em sua palma enquanto ele movia a estante para nosso quarto. Como forma de agradecimento, eu a pincei de sua mão. Então o pressionei contra o móvel, me ajoelhei e agradeci um pouco mais.

Aquilo foi numa época em que tocar um ao outro ainda trazia esperança. Agora, seu toque é apenas outro lembrete de todas as coisas que jamais serei para Graham. Ouço seus passos cruzando o quarto em minha direção, então me levanto e seguro a prateleira.

— Por que você desceu com ela? — pergunta ele.

Não o encaro, porque não sei como responder. Ele está tão próximo; seu hálito reparte meu cabelo e acaricia minha nuca quando ele suspira. A mão cobre a minha, e ele também segura a estante, apertando-a. Leva os lábios a meu ombro em um beijo calmo.

Estou constrangida com a intensidade de meu desejo por ele. Quero me virar e colocar minha língua na sua boca. Sinto falta de seu gosto, de seu cheiro, de seus sons. Sinto saudades de quando ele estava sobre mim, tão desvairado que parecia querer me rasgar o peito só para encarar meu coração enquanto fazíamos amor. É curioso como posso sentir falta de uma pessoa ainda presente. É curioso como posso sentir falta de fazer amor com quem ainda faço sexo.

Não importa o quanto ainda chore pelo casamento que costumávamos ter, sou em parte — se não completamente — responsável pelo que nosso casamento se tornou. Fecho os olhos, decepcionada comigo mesma. Aperfeiçoei a arte da evasão. Sou graciosa em minhas esquivas; às vezes nem tenho certeza se ele percebe. Finjo dormir antes que ele se prepare para deitar à noite. Finjo não ouvir quando meu nome escapa de seus lábios no escuro. Finjo estar ocupada quando ele vem em minha direção, finjo estar doente quando me sinto bem, finjo trancar acidentalmente a porta quando estou no chuveiro.

Finjo estar feliz enquanto respiro.

Parece cada vez mais difícil fingir que gosto de seu toque. Não gosto, mas *preciso* dele. Existe uma diferença. E isso me faz imaginar se ele finge tão bem quanto eu. Será que me quer tanto quanto parece querer? Será que gostaria que eu não me afastasse? Ou está agradecido por eu fazer isso?

Ele me envolve com um braço, e seus dedos espalmam sobre minha barriga. Uma barriga que cabe facilmente em meu vestido de noiva. Uma barriga não maculada por uma gravidez.

Ao menos tenho isso. Uma barriga que a maioria das mães invejaria.

— Você nunca... — Sua voz está baixa e doce e completamente aterrorizada de me perguntar o que quer que esteja prestes a perguntar. — Você nunca pensou em abrir a caixa?

Graham jamais fazia perguntas para as quais não quisesse resposta. Sempre gostei dessa peculiaridade. Ele não preenche o silêncio com conversas desnecessárias. Ou ele tem algo a dizer ou não tem. Ou ele quer saber a resposta para uma pergunta ou não quer. Jamais me questionaria se já pensei em abrir a caixa se não precisasse da resposta.

No momento, é sua característica que menos aprecio. Evito essa pergunta porque não sei como responder.

Em vez de arriscar que o vento empurre as palavras garganta abaixo, apenas dou de ombros. Depois de anos sendo especialistas em subterfúgios, ele finalmente interrompe a dança do divórcio para fazer uma pergunta séria. A única pergunta pela qual tenho esperado já faz um tempo. E qual é minha reação?

Dou de ombros.

É provável que os momentos seguintes sejam o motivo para ele ter demorado tanto tempo para fazer a pergunta. É o momento em que sinto seu coração parar, o momento em que pressiona os lábios em meu cabelo e murmura um suspiro que jamais vai ser retribuído, o momento em que percebe que está com os dois braços a minha volta, mas não me abraça. Já faz tempo que ele não é capaz de me abraçar. É difícil abraçar alguém que há muito se tornou escorregadio.

Não retribuo. Ele me solta. Eu exalo. Ele deixa o quarto.

Continuamos a dança.

Capítulo três

Antes

O céu virou de ponta-cabeça.
Assim como minha vida.

Há uma hora, eu era noiva do homem por quem fui apaixonada durante quatro anos. Agora, não mais. Ligo o limpador de para-brisa enquanto observo as pessoas procurarem abrigo. Algumas delas correm para dentro do prédio de Ethan, incluindo Sasha.

A chuva caiu do nada. Nenhum chuvisco para sinalizar o que estava por vir. O céu apenas emborcou, como um balde cheio de água, e gotas pesadas bateram com força contra minha janela.

Eu me pergunto se Graham mora ali perto ou se ainda está caminhando. Aciono o pisca-alerta e saio da minha vaga habitual em frente ao prédio de Ethan pela última vez. Tomo a mesma direção escolhida por Graham alguns minutos antes. Assim que dobro à esquerda, eu o vejo entrar em um restaurante para se abrigar da tempestade. Conquistadores. É um restaurante mexicano. Não sou fã dele, mas é perto do apartamento de Ethan e ele gosta, então comíamos aqui pelo menos uma vez por mês.

Um carro está saindo de uma vaga bem em frente ao restaurante, então espero pacientemente enquanto o motorista manobra, em seguida estaciono. Salto do carro sem saber o que vou dizer a Graham ao entrar.

Precisa de carona?
Quer companhia?
Que tal fazer sexo por vingança?

A quem quero enganar? A última coisa de que preciso nessa noite é fazer sexo por vingança. Não é para isso que o segui; espero que ele não presuma ser o caso quando me vir. Mas ainda não sei por que vim atrás dele. Talvez porque não queira ficar sozinha. Porque, como ele disse antes, as lágrimas chegarão mais tarde, no silêncio.

Quando a porta se fecha atrás de mim e meus olhos se ajustam à iluminação suave do restaurante, vejo Graham parado no bar. Ele está tirando o casaco molhado e o colocando nas costas da cadeira quando me nota. Não parece chocado em me ver. Puxa a cadeira ao seu lado com a certeza de que vou me aproximar e me sentar.

Eu faço exatamente isso. Sento bem ao seu lado, e nenhum de nós diz nada. Apenas nos solidarizamos em nosso infortúnio silencioso.

— Vocês querem algo para beber? — pergunta o barman.

— Duas doses de qualquer coisa que nos faça esquecer a última hora das nossas vidas — responde Graham.

O barman ri, mas nenhum de nós o acompanha. Ele percebe a seriedade de Graham, e então estica o dedo.

— Tenho a bebida perfeita. — Ele vai até a outra extremidade do bar.

Posso sentir Graham me observando, mas não olho para ele. De fato, não quero ver quão tristes estão seus olhos no momento. Quase tenho mais pena dele que de mim.

Puxo uma tigela de pretzels para perto. São um mix variado, então começo a separar os em formato de palito e monto um jogo da velha no balcão. Em seguida, escolho todos os redondos e empurro os clássicos na direção de Graham.

Coloco um dos redondos no centro. Olho para Graham e espero, em silêncio. Ele observa os pretzels que arrumei estrategicamente sobre o balcão e volta a olhar para mim. Então abre um lento e discreto sorriso antes de estender a mão para a tigela, pegar um pretzel clássico e colocá-lo no quadrado acima do meu.

Escolho o quadrado à esquerda do centro, posicionando meu pretzel com cuidado no lugar.

O barman pousa dois copos a nossa frente. Nós pegamos ao mesmo tempo e giramos as cadeiras até estarmos frente a frente.

Ficamos em silêncio por uns dez segundos, esperando que o outro faça um brinde.

— Não tenho absolutamente nenhum motivo para brindar — diz Graham, por fim. — Foda-se o dia de hoje.

— Foda-se — ecoo, em total acordo. Batemos os copos e jogamos a cabeça para trás. O drinque de Graham desce mais redondo que o meu. Ele bate com o copo no balcão e pega outro pretzel. Em seguida, faz sua jogada.

Estou escolhendo outro pretzel quando meu celular começa a vibrar no bolso do casaco. Eu o pego. O nome de Ethan brilha na tela.

Graham pega seu telefone e fica olhando o aparelho. O nome de Sasha aparece no visor. É cômico, de verdade. O que aqueles dois devem ter pensado quando saíram do apartamento e nos encontraram juntos, sentados no chão, comendo a comida chinesa que eles pediram?

Graham coloca seu celular no balcão, virado para cima. Põe o dedo no aparelho, mas, em vez de o atender, ele lhe dá um pequeno empurrão. Assisto conforme o aparelho desliza pela superfície e desaparece pela beirada. Ouço o aparelho bater no chão do outro lado do balcão, mas Graham age como se não se abalasse com a ideia de quebrar um telefone.

— Você acabou de quebrar seu celular.

Ele joga um pretzel na boca.

— Só tem fotos e mensagens de Sasha. Vou comprar um novo amanhã.

Pouso meu celular no balcão e olho para o aparelho, que fica silencioso por um instante até Ethan ligar uma segunda vez. Assim que seu nome aparece na tela, tenho o ímpeto de fazer o mesmo que Graham. Mereço um novo celular, em todo o caso.

Quando o toque cessa e uma mensagem de Ethan chega, dou um esbarrão no celular. Nós assistimos enquanto ele mergulha do outro lado do bar.

Voltamos ao jogo da velha. Venço a primeira partida. Graham vence a segunda. A terceira dá velha.

Graham come outro pretzel. Não sei se foi a dose que tomei ou se estou abalada pelo tumulto do dia, mas, toda vez que ele olha para mim, sinto um arrepio na pele. E no peito. Na verdade, em todo o corpo. Não sei se Graham me deixa nervosa ou se só estou agitada. De qualquer forma, o sentimento é melhor que a angústia que eu com certeza estaria sentindo se estivesse em casa, sozinha.

Substituo o pretzel que Graham acabou de comer na base do jogo.

— Preciso confessar uma coisa — digo.

— Nada do que disser é páreo para as últimas horas da minha vida. Confesse aí.

Apoio o cotovelo no bar e pouso a cabeça na mão. Olho de esguelha para ele.

— Sasha saiu do prédio. Depois que você foi embora.

Graham consegue ver a vergonha em minha expressão. Suas sobrancelhas se erguem em curiosidade.

— O que você fez, Quinn?

— Ela perguntou para que lado você tinha ido. Me recusei a responder. — Então me endireito e giro a cadeira até encará-lo. — Mas, antes de entrar no carro, dei meia-volta e disse: "Oitocentos dólares em um jogo de *palavras*? *Sério*, Sasha?"

Ele me encara. Intensamente. O que me faz refletir se ultrapassei algum limite. Com certeza não devia ter dito aquilo a ela, mas me sentia rancorosa. Não me arrependo.

— O que ela respondeu?

Balanço a cabeça.

— Nada. Seu queixo meio que caiu de espanto, mas depois começou a chover e ela correu para dentro do prédio de Ethan.

Graham continua me encarando com intensidade. Odeio isso. Queria que ele gargalhasse ou ficasse zangado com minha interferência. *Qualquer coisa*.

Mas ele não diz nada.

Depois de um tempo, abaixa o olhar até encarar o vazio entre nós. Estamos de frente um para o outro, mas nossas pernas não se tocam. A mão de Graham, que repousa em seu joelho, se move um pouco para a frente até os dedos roçarem minha perna, um pouco abaixo da bainha da saia.

É ao mesmo tempo sutil e óbvio. Todo o meu corpo enrijece com o contato. Não porque eu não goste, mas porque não consigo me lembrar da última vez que um toque de Ethan causou uma onda de calor como a que sinto agora.

Graham traça um círculo no topo do meu joelho. Quando ele ergue o olhar de novo, não me sinto confusa com o brilho em seus olhos. Seus pensamentos estão bem nítidos agora.

— Quer dar o fora daqui? — Seu tom é tanto um sussurro quanto um apelo.

Assinto com a cabeça.

Ele se levanta e tira a carteira do bolso. Deixa o dinheiro no balcão e coloca o casaco. Então estende o braço e entrelaça seus dedos aos meus, me guiando em direção à porta do restaurante, para fora dali e, com sorte, em direção a algo que torne esse dia aceitável.

Capítulo quatro

Agora

Certa vez, Graham me perguntou por que eu tomava banhos tão demorados. Não me lembro da desculpa que dei. Tenho certeza de que disse que era relaxante, ou que a água quente fazia bem para minha pele. Mas tomo banhos demorados porque é o único momento em que me permito viver o luto.

Eu me sinto fraca por precisar do luto quando ninguém morreu. Não faz sentido que eu sofra tanto por aqueles que sequer existiram.

Já estou no banho há meia hora. Quando acordei hoje de manhã, presumi, de maneira equivocada, que tomaria uma chuveirada rápida, sem sofrimento. Mas tudo mudou quando vi o sangue. Não deveria me espantar. Acontece todo mês. Aconteceu todos os meses desde que completei 12 anos.

Estou encostada na parede do boxe, deixando o jato de água correr pelo rosto. O fluxo dilui minhas lágrimas e faz com que eu me sinta menos patética. É mais fácil me convencer de que não estou chorando *tão* desesperadamente quando a maior parte do que escorre pelo meu rosto é água.

Estou me maquiando agora.

Às vezes isso acontece. Em um segundo estou no chuveiro, no seguinte não mais. Eu me perco na dor. Fico tão desnorteada que, quando saio da escuridão, estou em outro lugar. Dessa vez, o outro lugar sou eu, nua, em frente ao espelho do banheiro.

Passo o batom no lábio inferior, depois no de cima. Deixo-o de lado e observo meu reflexo. Meus olhos estão avermelhados, mas a maquiagem está perfeita, o cabelo, preso, minhas roupas, dobradas de maneira ordenada no balcão. Observo também o reflexo do meu corpo no espelho, cobrindo os seios com as mãos. Fisicamente, pareço saudável. Meus quadris são largos, minha barriga, chapada, os seios, normais e firmes. Quando os homens olham para mim, às vezes, seus olhos se demoram.

Mas, por dentro, não sou nada atraente. No íntimo não tenho apelo, segundo os padrões da Mãe Natureza, porque não possuo um sistema reprodutivo operante. Afinal, a reprodução é o motivo da nossa existência. A reprodução é necessária para completar o ciclo da vida. Nascemos, nos reproduzimos, criamos nossos filhos, morremos, nossos filhos se reproduzem, criam *seus* filhos, *eles* morrem. Geração após geração de nascimento, vida e morte. Um lindo ciclo, jamais destinado a ser rompido.

No entanto... Eu sou a ruptura.

Eu nasci. É tudo de que sou capaz até morrer. Estou à margem do ciclo da vida, assistindo ao mundo girar enquanto permaneço em um impasse.

E porque ele é casado comigo... Graham também está em um impasse.

Visto as roupas, cobrindo o corpo que nos frustrou repetidas vezes.

Entro na cozinha e encontro Graham parado em frente à cafeteira. Ele olha para mim, e eu não quero que ele descubra sobre o sangue ou o choro no chuveiro, então cometo o erro de sorrir. Rapidamente, arranco o sorriso do rosto, mas é tarde demais. Ele acha que é um dia bom. Meu sorriso lhe deu esperança. Ele caminha em minha direção porque, como uma idiota, me esqueci de erguer meus escudos. Em geral, faço questão de manter as mãos ocupadas com uma bolsa, uma bebida, um guarda-chuva, um casaco. Às vezes tudo isso ao mesmo tempo. Hoje, não tenho nada com que me defender de seu amor, então ele me dá um abraço de bom-dia. Sou forçada a retribuir.

Meu rosto se encaixa perfeitamente na curva de seu pescoço. Seus braços envolvem com perfeição minha cintura. Quero pressionar os lábios na sua pele e sentir os arrepios na língua. Mas, se fizer isso, sei o que vai acontecer.

Seus dedos roçariam minha cintura.

Sua boca, quente e úmida, encontraria a minha.

Suas mãos tirariam minhas roupas.

Ele estaria dentro de mim.

Ele faria amor comigo.

E, quando acabasse, eu me encheria de esperança.

E, então, toda aquela esperança eventualmente escoaria com o sangue.

Eu ficaria devastada no chuveiro.

Em seguida, Graham me perguntaria: "Por que você toma banhos tão demorados?"

E eu responderia: "Porque são relaxantes. A água quente é boa para minha pele."

Fecho os olhos e pressiono as mãos em seu peito, me desvencilhando. Eu tenho me afastado com tanta frequência que, às vezes, me pergunto se minhas palmas acabaram impressas em seu peito.

— Que horas é o jantar na casa da sua irmã? — Minhas perguntas abrandam a rejeição. Se eu me afasto enquanto pergunto algo, a distração faz tudo parecer menos pessoal.

Graham volta para perto da cafeteira e pega sua xícara. Dá de ombros enquanto assopra a bebida.

— Ela sai do trabalho às cinco, então provavelmente umas sete.

Ergo meus escudos; minha bolsa, uma bebida, meu casaco.

— Ok. Vejo você lá. Amo você. — Eu beijo sua bochecha com meus escudos firmes entre nós.

— Também amo você.

Já estou de costas quando ele diz as palavras. Raramente lhe dou a oportunidade de me dizer isso cara a cara.

Mando uma mensagem para minha irmã, Ava, assim que chego ao carro.

Esse mês não.

Ela é a única com quem ainda discuto o assunto. Parei de conversar com Graham sobre meu ciclo no ano passado. Todo mês, desde que começamos a tentar engravidar, há anos, Graham me consolava sempre que eu descobria que não existiria um bebê. No início, apreciava o gesto. Até ansiava por ele. No entanto, mês após mês, acabei temendo ter que lhe contar como me sentia arrasada. E sabia que, se eu temia sua obrigação em me consolar, então ele já devia estar mais que farto da decepção constante. Decidi, no início do ano passado, tocar no assunto apenas se o resultado fosse diferente.

Até agora, o resultado tem sido sempre o mesmo.

Sinto muito, baby, responde minha irmã. Está ocupada? Tenho novidades.

Saio da garagem e aciono o Bluetooth do celular antes de ligar para ela. Minha irmã atende no meio do primeiro toque. Em vez de alô, ela diz:

— Sei que você não quer tocar no assunto, então vamos falar de mim.

Amo como ela me entende.

— Quais são as novidades?

— Ele conseguiu o emprego.

Agarro o volante com força e me obrigo a parecer animada.

— Jura? Ava, isso é ótimo!

Ela suspira, e noto que está tentando soar triste.

— Nos mudamos em duas semanas.

Sinto as lágrimas ameaçando transbordar, mas já chorei o bastante por um dia. Estou feliz por ela, de verdade. Mas Ava é minha única irmã e vai se mudar para o outro lado do mundo. Seu marido, Reid, vem de uma família francesa enorme, e, mesmo antes de se casarem, ela avisou que poderiam viver na Europa em algum momento. A ideia sempre a agradou, por isso sei que está contendo a animação em respeito a minha tristeza ante a perspectiva da futura distância entre nós. Sei que Reid se candidatou a alguns empregos no último mês, mas uma pequena e mesquinha parte de mim torcia para que não conseguisse uma proposta.

— Vocês vão para Mônaco?

— Não, o emprego de Reid é em Impéria. É em outro país, mas fica a apenas uma hora de carro de Mônaco. A Europa é tão pequena, é bizarro. Aqui você dirige uma hora e chega a Nova York; na Europa, se você dirige uma hora, acaba em um país que fala uma língua completamente diferente.

Nem mesmo sei onde fica Impéria, mas já me parece combinar melhor com ela que Connecticut.

— Mamãe já sabe?

— Não — responde Ava. — Sei que ela vai fazer drama, então achei melhor contar pessoalmente. Estou a caminho da casa dela nesse instante.

— Boa sorte.

— Obrigada. Depois eu ligo para contar o quanto ela apelou para o sentimento de culpa. Vejo você no almoço amanhã?

— Estarei lá. E ela terá um dia inteiro para se acalmar.

Quando desligamos, estou parada em um sinal vermelho em uma rua deserta.

Literal *e* metaforicamente.

* * *

Meu pai morreu quando eu tinha 14 anos. Minha mãe casou de novo pouco tempo depois. Não me surpreendeu, nem mesmo me aborreceu. Meus pais nunca tiveram um relacionamento invejável. Estou certa de que parecia bom no início, mas, quando tive idade suficiente para compreender o que era amor, sabia que não havia isso ali.

De qualquer forma, não tenho certeza se minha mãe alguma vez casou por amor. Dinheiro é a prioridade quando o assunto é encontrar sua cara-metade. Meu padrasto não a conquistou com sua personalidade. Ele a ganhou com a casa de praia em Cape Cod.

Apesar do guarda-roupa e da atitude, minha mãe não é rica. Ela cresceu em condições modestas, em Vermont, a segunda de sete irmãos. Casou com meu pai quando ele era razoavelmente rico, e, assim que minha irmã e eu nascemos, exigiu que ele comprasse uma casa em Old Greenwich, em Connecticut. Pouco importava que ele tivesse que trabalhar dobrado para sustentar seu padrão de vida dispendioso. Acho que ele gostava do trabalho mais que de casa.

Quando meu pai morreu, herdamos bens, mas não o bastante para minha mãe manter o padrão que estava acostumada. Não levou muito tempo para ela corrigir a situação; casou com meu padrasto em uma cerimônia discreta, menos de um ano depois de enterrar meu pai. Mal precisou viver oito meses com um orçamento apertado.

Embora minha irmã e eu tenhamos crescido em um estilo de vida abastado, não *somos* ricas. Nossa mãe há muito gastou a herança de meu pai. E meu padrasto tem filhos biológicos que vão herdar sua fortuna quando ele morrer. Portanto, mesmo tendo sido criadas nessas condições, Ava e eu jamais nos consideramos ricas.

É por isso que, tão logo nos formamos, começamos a trabalhar e a pagar nossas contas. Nunca pedi dinheiro para minha mãe. Primeiro, porque acredito ser inapropriado a uma mulher adulta, casada, ter que pedir ajuda aos pais. E segundo, porque ela não é generosa. Tudo tem um preço quando dado por minha mãe.

De vez em quando, ela faz coisas boas por mim e por Ava. No Natal passado, quitou nossos carros. E, quando me formei, antes de conhecer Graham, me ajudou a achar um apartamento e pagou o primeiro mês de aluguel. Mas, em geral, os gastos que minha mãe tem conosco precisam beneficiá-la de alguma forma. Ela compra roupas que acha que devemos vestir porque não gosta das que usamos. Agenda dias em spas como presente de aniversário e nos força a convidá-la. Visita nossas casas e reclama da mobília, e, dois dias depois de sua partida, um entregador aparece com móveis novos, escolhidos por ela.

Graham odeia quando ela faz isso. Diz que um presente é um belo gesto, mas um sofá é um insulto.

Não é que eu não aprecie as coisas que faz por mim. Mas preciso trilhar meu próprio caminho, porque, embora esteja cercada por ele, não estou nadando em dinheiro.

Uma das coisas pelas quais sou grata é nosso almoço semanal. Sem falta, Ava e eu a encontramos para almoçar no clube perto de sua casa. Odeio o lugar, óbvio, mas amo passar tempo com Ava, e toleramos mamãe o bastante para ansiar por nossa reunião semanal.

Entretanto, tenho a sensação de que tudo vai mudar agora que Ava está indo para a Europa. Os preparativos da viagem vão ocupar sua semana, o que faz desse nosso último almoço. A plenitude recém-agregada a sua vida faz a minha parecer ainda mais vazia.

— Você não pode pegar um avião para almoçar com a gente toda semana? — pergunto a Ava. — Como vou entreter sua mãe sem ajuda? — Sempre nos referimos a mamãe como *sua* mãe quando estamos falando sobre ela. Começou como uma piada no ensino médio, mas agora se tornou tão natural que precisamos nos policiar na frente dela para evitar uma gafe.

— Leve seu iPad e me chame pelo Skype — responde ela.

Eu dou uma risada.

— Não me tente.

Ava pega o celular e se anima quando lê uma mensagem.

— Tenho uma entrevista.

— Que rápido! Para vaga de quê?

— Professora de inglês para alunos de ensino médio de uma escola local. Paga mal, mas, se eu conseguir o emprego, vou aprender a xingar em francês e italiano bem mais rápido.

Reid ganha o bastante para que Ava não precise trabalhar, mas ela sempre teve um emprego. Minha irmã diz que a vida de dona de casa não é para ela, e acho que foi isso que atraiu Reid. Nenhum dos dois quer filhos, e Ava sempre gostou de se manter ocupada, então funciona para ambos.

Em alguns momentos, invejo sua falta de interesse por crianças. Tantas questões em minha vida e em meu casamento seriam inexistentes se eu não me sentisse tão incompleta sem um filho.

— Vai ser tão estranho sem você aqui, Ava — declara minha mãe, tomando seu lugar à mesa. Pedi a bebida de sempre para ela, um martíni com azeitona extra. Ela coloca a bolsa na cadeira ao lado e morde uma das azeitonas do palito. — Não achei que sua mudança me abalaria tanto. Quando você virá nos visitar?

— Ainda nem fui embora — responde Ava.

Minha mãe suspira e pega o cardápio.

— Não acredito que esteja nos deixando. Pelo menos, você não tem filhos. Nem imagino como me sentiria se meus netos fossem tirados de mim.

Contenho o riso. Minha mãe é a pessoa mais dramática que conheço. Mal queria ser mãe quando Ava e eu éramos pequenas, e sei, de fonte segura, que não tem a menor pressa de se tornar avó. Um traço de sua personalidade que acho reconfortante. Ela não me pressiona para ter um bebê. Apenas reza para que eu jamais adote um.

Ava trouxe o assunto à tona em um de nossos almoços, há dois anos. Minha mãe, de fato, zombou da ideia. "Quinn, por favor, me diga que você não está considerando a ideia de criar o filho de outra pessoa", disse ela. "A criança poderia ter... questões."

Ava apenas me encarou e revirou os olhos, então me enviou uma mensagem escondida. *Sim, porque filhos biológicos nunca têm questões. Sua mãe precisa de um espelho.*

Vou sentir tanto a falta dela.

Já estou com saudades, mando para ela por mensagem.

Ainda estou aqui.

— Sinceramente, meninas, nenhuma de vocês aprendeu a ter modos à mesa?

Ergo o olhar e vejo minha mãe fuzilando nossos telefones. Bloqueio o meu e o jogo dentro da bolsa.

— Como está Graham? — pergunta ela. Seu interesse é pura cortesia. Embora Graham e eu já estejamos juntos há mais de sete anos, ela ainda gostaria que eu tivesse me casado com qualquer outro. Em sua opinião, ele jamais foi bom o bastante para mim, mas não porque ela quer o melhor para a filha. Se dependesse de minha mãe, eu teria me casado com Ethan e estaria morando em uma casa tão grande quanto a sua, e ela poderia se gabar para todas as amigas de como sua filha é mais rica que Evelyn Bradbury.

— Muito bem — respondo, sem dar detalhes. Porque, na verdade, apenas suponho que esteja ótimo. Já não posso mais dizer como está se sentindo ou no que está pensando, ou se está ótimo ou bem ou péssimo. — Ótimo.

— Você está bem?

— Estou. Por quê?

— Não sei — responde ela, me sondando. — Você parece... cansada. Está dormindo direito?

— Uau! — murmura Ava.

Reviro os olhos e pego o menu. Minha mãe sempre teve talento para insultos sinceros. Nunca me importei, porque ela implica com Ava e comigo na mesma medida. Talvez porque sejamos tão parecidas. Ava é apenas dois anos mais velha. Temos cabelo liso castanho, um pouco abaixo dos ombros, o mesmo formato de olhos, a cor idêntica à dos fios. E, segundo minha mãe, nós duas aparentamos estar cansadas com regularidade.

Fazemos os pedidos e conversamos até a comida chegar. O almoço está quase no fim quando alguém se aproxima de nossa mesa.

— Avril?

Ava e eu erguemos os olhos enquanto Eleanor Watts muda a bolsa azul-bebê da Hermès de um ombro para o outro. Ela tenta parecer sutil, mas seria melhor se nos acertasse a cabeça e gritasse: "Vejam! Posso pagar por uma bolsa de quinze mil dólares!"

— Eleanor! — exclama minha mãe. Ela se levanta, e as duas se cumprimentam com um beijo. Eu forço um sorriso quando Eleanor nos encara.

— Quinn e Ava! Meninas, estão lindas como sempre! — Quase pergunto se não pareço cansada. Ela se senta em uma cadeira e abraça a bolsa. — Como você está, Avril? Não a vejo desde... — Ela hesita.

— Desde a festa de noivado de Quinn e Ethan Van Kemp — completa minha mãe.

Eleanor meneia a cabeça.

— Não posso acreditar que faz tanto tempo. Olhe para nós. Somos avós agora! Como foi que isso aconteceu?

Minha mãe pega seu copo de martíni e bebe um gole.

— Ainda não sou avó — diz ela, quase como se contasse vantagem. — Ava está de mudança para a Europa com o marido. Filhos atrapalham os planos de viajar — argumenta, com um aceno displicente na direção de Ava.

Eleanor se vira para mim, os olhos examinando minha aliança antes de voltar para meu rosto.

— E você, Quinn? Já está casada há algum tempo. — Ela diz aquilo com uma risada obtusa.

Meu rosto queima, embora eu já devesse estar acostumada àquela conversa a essa altura. Sei que as pessoas não estão sendo insensíveis de propósito, mas boas intenções não diminuem o impacto dos comentários.

Quando você e Graham vão ter um bebê?
Vocês não querem filhos?
Continuem tentando, vocês vão conseguir.
Pigarreio e pego meu copo de água.

— Estamos trabalhando nisso — respondo, antes de tomar um gole. Quero que o assunto não se estenda, mas minha mãe faz questão de continuar. Ela se inclina na direção de Eleanor, como se eu não estivesse presente.

— Quinn tem problemas de fertilidade — revela minha mãe, como se fosse do interesse de qualquer um, não apenas meu e de Graham.

Eleanor inclina a cabeça e me encara com compaixão.

— Ah, querida. — Ela pousa a mão sobre a minha. — Sinto tanto ouvir isso. Vocês já pensaram em fertilização *in vitro*? Minha sobrinha e o marido não conseguiam conceber do modo tradicional, mas agora vão ter gêmeos.

Se pensamos em FIV? *Ela está falando sério?* Eu devia apenas sorrir e lhe dizer que era uma ideia genial, mas estou ciente de meu próprio limite e sei que cheguei nele.

— Sim, Eleanor — respondo, puxando a mão. — Na verdade, passamos por três tentativas malsucedidas. Consumiram nossas economias, e tivemos que fazer outra hipoteca na casa.

O rosto de Eleanor enrubesce, e imediatamente me sinto constrangida pela resposta, o que significa que minha mãe deve estar mortificada. Mas nem olho para ela, para não corroborar minha suposição. Vejo Ava tomar um gole de sua água, tentando disfarçar a risada.

— Ah — murmura Eleanor. — Isso é... Sinto muito.

— Não sinta — retruca minha mãe. — Tem um motivo para tudo o que passamos, certo? Até mesmo para as dificuldades.

Eleanor assente.

— Ah, acredito nisso piamente — diz ela. — Deus age de maneira misteriosa.

Eu rio discretamente. Sua observação evoca muitos comentários que minha mãe dirigiu a mim no passado. Sei que não é sua intenção, mas Avril Donnelly é a mais insensível das pessoas.

Graham e eu decidimos tentar engravidar com apenas um ano de casados. Eu era tão ingênua, acreditando que aconteceria de imediato. Depois dos primeiros meses de tentativas frustradas, comecei a me preocupar. Levei o assunto até Ava... e minha *mãe*, dentre todas as pessoas; confessei minhas preocupações antes mesmo de discuti-las com Graham. Minha mãe teve mesmo a audácia de dizer que talvez Deus ainda não me considerasse preparada para um filho.

Se Deus não permitia que pessoas despreparadas tivessem filhos, então Ele tinha muito o que explicar. Porque algumas das mães a quem ele premiou com fertilidade eram bem questionáveis. Inclusive minha própria mãe.

Graham tem sido solidário durante todo esse martírio, mas às vezes me pergunto se ele se sente tão frustrado quanto eu com todas as perguntas. Fica cada vez pior respondê-las. Às vezes, quando estamos juntos e as pessoas perguntam por que ainda não temos filhos, Graham põe a culpa em si mesmo. "Sou estéril", diz.

Mas ele está longe de ser estéril. Graham se submeteu a um espermograma no início, e estava tudo bem. De fato, estava *mais* que bem. O médico usou o termo *abundante*. "Você tem uma abundante contagem de esperma, Sr. Wells."

Graham e eu sempre ríamos disso. Mas, mesmo tentando transformar o assunto em piada, aquilo significava que o problema estava em mim. Não importava sua *abundante* contagem de esperma, ela era inútil em meu útero. Fazíamos sexo segundo um rigoroso cronograma. Eu media minha temperatura regularmente. Comi e bebi todas as comidas indicadas. Ainda assim, nada.

Juntamos cada centavo que tínhamos e tentamos inseminação artificial, então fertilização *in vitro*, e alcançamos resultados insatisfatórios.

Cogitamos uma mãe de aluguel, mas é tão cara quanto FIV, e, de acordo com nosso médico, por causa de minha endometriose, diagnosticada quando eu tinha 25 anos, meus óvulos não são confiáveis.

Nada funcionou, e não podemos nos dar o luxo de continuar repetindo procedimentos fracassados, ou até mesmo de tentar novas técnicas. Começo a me dar conta de que talvez jamais aconteça.

Esse último ano tem sido o mais difícil de todos. Estou perdendo a fé. Perdendo o interesse. Perdendo a esperança.

Perdendo, perdendo, perdendo.

— Já pensou em adoção? — pergunta Eleanor.

Meus olhos encontram os dela, e tento ao máximo disfarçar a irritação. Abro a boca para responder, mas minha mãe se mete.

— O marido dela não está interessado em adoção — diz.

— *Mãe* — sibila Ava.

Ela acena com a mão para Ava em um gesto de desdém.

— Não estou espalhando para o mundo inteiro. Eleanor e eu somos praticamente melhores amigas.

— Vocês não se viam faz quase uma década — argumento.

Minha mãe aperta a mão de Eleanor.

— Bem, com certeza não parece tanto tempo. Como está Peter?

Eleanor ri, tão contente com a mudança de assunto quanto eu. Ela passa a contar sobre o novo carro do marido e sua crise de meia-idade que, tecnicamente, nem pode ser uma crise de meia-

-idade, porque ele já passa dos 60 anos, mas eu não as corrijo. Peço licença e vou ao banheiro na tentativa de fugir da constante lembrança de minha infertilidade.

Eu devia tê-la corrigido quando minha mãe disse que Graham não estava interessado em adoção. Não é que ele não tenha interesse, apenas não tivemos a sorte de ser aprovados por nenhuma agência por causa do passado de Graham. Não entendo como uma agência de adoção ignora que, à exceção de uma devastadora condenação quando adolescente, ele nunca foi nem ao menos multado. Mas, quando se é um dentre milhares de casais na competição, até mesmo uma pequena pisada de bola pode deixá-los no banco.

Além disso, não temos mais recursos para continuar na disputa. Os tratamentos esvaziaram nossa conta bancária, e, agora que temos uma segunda hipoteca, nem saberíamos como arcar com as despesas se *fôssemos* aprovados.

São tantos fatores, e, embora as pessoas pensem que não analisamos todas as nossas opções, nós as analisamos muitas vezes.

Caramba! Ava trouxe até uma boneca da fertilidade quando foi ao México, três anos atrás. Mas nada — nem mesmo superstição — funcionou conosco. Graham e eu decidimos, no início do ano passado, deixar tudo ao acaso, na esperança de que acontecesse naturalmente. Não aconteceu. E, para ser honesta, cansei de nadar contra a corrente.

A única coisa que me impede de desistir é Graham. No fundo, sei que, se abdicar do sonho de um filho, estarei abdicando de Graham. Não quero lhe tirar a chance de se tornar um pai.

A estéril sou eu. Não Graham. Ele também deveria ser punido por minha infertilidade? Graham diz que filhos não significam tanto para ele quanto para mim, mas sei que só fala isso para não me magoar. E porque ainda tem esperança. Mas, daqui a dez ou vinte anos, vai se ressentir de mim. Ele é humano.

Eu me sinto egoísta quando penso nessas coisas; me sinto egoísta toda vez que Graham e eu fazemos sexo, porque sei que me prendo a uma esperança vã, arrastando-o comigo em um casamento que, eventualmente, se tornará enfadonho para ambos. E é por isso que passo os dias on-line, procurando por alguma coisa que possa me dar uma resposta. Qualquer coisa. Faço parte de grupos de apoio, leio fóruns de mensagens, as histórias de "concepção milagrosa", os grupos de adoção privada. Até participo de diversos grupos de pais para o caso de eu, enfim, ter um bebê. Estarei bem preparada.

A única coisa de que não participo é de redes sociais. Deletei todas as minhas contas no ano passado. Simplesmente, não conseguia lidar com as pessoas insensíveis em minha timeline. Primeiro de abril era o pior dia. Perdi a conta de quantos amigos acham engraçado anunciar uma falsa gravidez.

Eles não têm a menor compaixão por pessoas em minha situação. Se soubessem quantas mulheres haviam passado anos sonhando com um resultado positivo, nem mesmo pensariam em fazer graça com o assunto.

Sem contar a quantidade de amigos que reclamam dos filhos em suas timelines. "Evie passou a noite toda chorando! Argh! Quando ela vai dormir uma maldita noite inteira?" ou "Mal posso esperar pela volta às aulas! Esses meninos estão me fazendo perder a cabeça!"

Se aquelas mães ao menos soubessem...

Se eu fosse mãe, não subestimaria um único momento na vida de meu filho. Seria grata por cada segundo que choramingasse ou gritasse ou adoecesse ou me respondesse. Apreciaria cada segundo que ficasse em casa nas férias de verão, e sentiria saudades a cada segundo em que estivesse na escola.

Por isso saí das redes sociais. Porque, a cada atualização de status, eu me tornava mais e mais amarga. Sei que aquelas mães amam seus filhos. Sei que não os subestimam. Mas não entendem o que é ser incapaz de vivenciar as coisas que lhes causam estresse. E, em vez de desprezar cada pessoa de quem era amiga on-line, decidi deletar meus perfis na esperança de alcançar um arremedo de paz. Mas não aconteceu.

Mesmo sem rede social, não passa um dia sem que eu seja lembrada que posso jamais me tornar mãe. Toda vez que vejo um bebê. Toda vez que vejo uma grávida. Toda vez que encontro pessoas como Eleanor. Quase todo filme que vejo, todo livro que leio, toda canção que ouço.

E ultimamente... toda vez que meu marido me toca.

Capítulo cinco

Antes

Eu nunca trouxe um homem a meu apartamento que não fosse Ethan. Para falar a verdade, Ethan também mal vinha aqui. Seu apartamento é mais confortável e muito maior, então sempre ficávamos por lá. Mas aqui estou, prestes a transar com um completo estranho, poucas horas depois de flagrar a traição de meu noivo.

Se Ethan é capaz de me trair, com certeza sou capaz de fazer sexo por vingança com um cara muito charmoso. O dia inteiro tem sido um incidente bizarro após o outro. *Qual é o problema de mais um?*

Abro a porta e confiro se tem alguma coisa que preciso esconder no apartamento. Mas então me dou conta de que teria que esconder *tudo*, o que não é possível com Graham a um passo atrás de mim. Eu me afasto e abro espaço para ele.

— Entre — convido.

Graham entra depois de mim, observando o apartamento com seu olhar triste. É um quarto e sala, mas todas as fotos que tenho com Ethan o fazem parecer ainda menor. Claustrofóbico.

O restante dos convites de casamento ainda está espalhado sobre a mesa de jantar.

O vestido de noiva que comprei há duas semanas está pendurado na porta do armário da entrada. Olhar para ele me deixa zangada. Eu o arranco dali, dobro a capa com zíper ao meio e jogo tudo dentro do armário. Nem me incomodo em pendurá-lo no cabide. *Espero* que fique amassado.

Graham vai até o bar e pega uma foto minha e de Ethan. Eu tinha acabado de aceitar o pedido de casamento de Ethan, e estava exibindo o anel para a câmera. Paro ao lado de Graham e observo a foto com ele. Seu polegar roça o vidro.

— Você parece feliz de verdade.

Não respondo; ele tem razão. Pareço feliz naquela foto porque eu *estava* feliz. Muito feliz. E ignorante. Quantas vezes Ethan me traiu? Será que aconteceu mesmo antes de ele me pedir em casamento? Tenho tantas perguntas, mas não creio que queira as respostas o bastante para me sujeitar a interrogá-lo.

Graham pousa o porta-retratos no bar, virado para baixo. E, como fizemos com os celulares, pressiona o dedo contra a moldura e o empurra pelo balcão. Ele cai pela beirada e quebra quando atinge o piso da cozinha.

É algo tão rude e imprudente de se fazer no apartamento de outra pessoa. Mas estou feliz que o tenha feito.

Há mais duas fotos no bar. Pego outra nossa e a coloco virada para baixo. Então empurro o porta-retratos pelo balcão e, quando quebra, sorrio. Graham também.

Olhamos para a última foto. Ethan não aparece nessa; é uma foto minha com meu pai, tirada apenas duas semanas antes de sua morte. Graham apanha a moldura e inspeciona a imagem de perto.

— Seu pai?

— Sim.

Ele coloca o porta-retratos de volta no balcão.

— Essa pode ficar.

Graham segue para a mesa, onde os convites de casamento restantes estão jogados. Não escolhi o modelo; foram minha mãe e a de Ethan. Elas até enviaram os convites. Minha mãe largou a sobra aqui há duas semanas, e me aconselhou a pesquisar no Pinterest o que fazer com ela, mas eu não tinha o menor interesse em criar nada com aquilo.

Decididamente vou jogá-los no lixo agora. Não quero uma única recordação desse relacionamento desastroso.

Sigo Graham até a mesa e me sento nela, colocando as pernas para cima. Entrelaço as pernas como um índio enquanto Graham pega um dos convites e começa a ler em voz alta.

— Avril Donnelly e Kevin Whitley (in memoriam), de Old Greenwich, Connecticut, e a Sra. e o Dr. Samson Van Kemp, também de Old Greenwich, convidam para a cerimônia religiosa do casamento de seus filhos, Quinn Dianne Whitley e Ethan Samson Van Kemp, a realizar-se no prestigioso Douglas Whimberly Plaza, no dia...

Graham se interrompe e olha para mim. Ele indica o convite de casamento.

— Seu convite de casamento tem a palavra *prestigioso*.

Posso sentir o rosto enrubescendo.

Odeio aqueles convites. Quando os vi pela primeira vez, fiz um escândalo por conta da arrogância de tudo aquilo, mas minha mãe e arrogância caminham lado a lado.

— Obra de minha mãe. Às vezes é mais fácil concordar com ela do que criar caso.

Graham levanta uma sobrancelha, em seguida joga o convite de volta à pilha.

— Então você é de Greenwich, é?

Posso ouvir a crítica em sua voz, mas não o culpo. Old Greenwich foi recém-rotulada uma das cidades mais ricas da América. Se você faz parte daquela riqueza, é comum acreditar que é melhor do que os que não fazem. Se você *não* faz parte daquela riqueza, você julga os que fazem. É uma tendência que me recuso a seguir.

— Você não parece uma garota de Old Greenwich — acrescenta ele.

Minha mãe se sentiria insultada com a declaração, mas o comentário me faz sorrir. É um elogio para mim, e sei que é como ele pretendia que fosse. E Graham tem razão... meu apartamento microscópico e a mobília de forma alguma refletem o lar em que fui criada.

— Obrigada. Eu me esforço para me afastar dos sanguessugas da alta sociedade.

— Você precisaria se esforçar ainda mais se quisesse convencer alguém de que é *parte* da alta sociedade. E digo isso como um elogio.

Outro comentário que insultaria minha mãe. Estou começando a gostar mais e mais desse cara.

— Está com fome? — Lanço um olhar para a cozinha, imaginando se sequer tenho comida para lhe oferecer. Felizmente, ele balança a cabeça.

— Não. Ainda estou cheio de tanta comida chinesa e infidelidade.

Sorrio, tranquila.

— É, eu também.

Graham estuda meu apartamento mais uma vez, a cozinha e a sala, então o corredor que leva ao quarto. Em seguida, seus olhos se concentram em mim com tamanha intensidade que perco o fôlego. Ele me encara, depois seu olhar cai para minhas pernas. Eu o observo conforme analisa cada parte de meu corpo. É diferente, ser olhada assim por alguém que não é Ethan. Fico surpresa por gostar.

Eu me pergunto no que Graham pensa quando olha para mim. Será que está apenas tão chocado quanto eu por acabar aqui, em meu apartamento, me encarando, em vez de estar no próprio apartamento, junto à própria mesa, encarando Sasha?

Graham enfia a mão dentro do bolso do casaco e pega uma pequena caixa. Ele a abre e me entrega. Tem um anel no interior. É claramente uma aliança de noivado, mas bem menor do que a minha. Na verdade, gosto mais dessa. Queria algo mais sutil, mas Ethan escolheu a mais cara que o pai podia pagar.

— Tenho carregado isso por duas semanas — confessa Graham, então se inclina em direção à mesa ao meu lado e observa o anel em minha mão. — Não tive a chance de fazer o pedido, porque Sasha vivia me enrolando. Eu estava desconfiado havia um tempo. Ela mente tão bem.

Ele diz a última parte como se estivesse impressionado.

— Eu gosto. — Tiro a aliança da caixa e a coloco na mão esquerda.

— Pode ficar com ela. Não vou mais precisar.

— Você devia devolver. Com certeza custou caro.

— Comprei no eBay. Sem reembolso.

Estendo as duas mãos à frente e comparo os anéis. Olho para meu anel de noivado e me pergunto por que nunca me ocorreu avisar a Ethan que não queria nada ostensivo. É como se estivesse tão desesperada para casar com ele que perdi minha voz. Minhas opiniões. A *mim*.

Tiro minha aliança da mão direita e a coloco na caixa, substituindo-a pelo anel que Graham comprou para Sasha. Entrego a caixa a Graham, mas ele não a aceita.

— Pegue — digo, empurrando-a em sua direção, numa tentativa de trocar os anéis.

Graham se inclina para trás, apoiado nas mãos para que não possa aceitar a caixa.

— Esse anel pode comprar um carro novo, Quinn.

— Meu carro já está pago.

— Então devolva para Ethan. Ele pode dar a Sasha. Com certeza, ela vai preferir esse ao que comprei.

Ele não aceita o anel, então o deixo sobre a mesa. Vou enviá-lo à mãe de Ethan. Que ela decida o que fazer com ele.

Graham se endireita e coloca as mãos no bolso do casaco. Ele é mesmo mais bonito que Ethan; eu não estava só tentando agradá-lo mais cedo. A boa aparência de Ethan é resultado, em grande parte, de dinheiro e confiança. Ele sempre se cuidou, se vestiu bem, com um quê de arrogância. Se uma pessoa acredita que é bonita de verdade, o restante do mundo logo se convence também.

Mas o charme de Graham é mais autêntico. Ele não possui nenhum traço que se destaque de maneira peculiar. O cabelo não é de um tom único de castanho. Os olhos são escuros, mas não pretos ou incomuns. Pelo contrário, o castanho intenso faz seus olhos parecerem mais tristes do que se fossem azuis ou verdes. Os lábios são macios e cheios, mas não de uma maneira que me fizesse pensar nessa particularidade quando não estivessem à minha frente. Não é alto o bastante para que tal característica seja notável. Deve ter por volta de 1,80 metro.

Seu charme vem da soma de todas as suas muitas partes. As feições comuns de alguma forma se combinam e provocam um aperto em meu peito. Amo como ele olha para o mundo, com seus olhos calmos, mesmo quando a vida deu uma reviravolta. Fico completamente hipnotizada pela maneira como sorri, com apenas metade da boca. Às vezes, quando fala, ele hesita e roça um dedo no lábio inferior. É inconscientemente sexy. Não sei se alguma vez na vida já me senti tão atraída por alguém que conhecesse tão pouco.

Graham olha para a porta da frente, e me pergunto se mudou de ideia. Será que fiz algo que o desagradou? Ele parece prestes a encerrar a noite. Se afasta da mesa, e continuo sentada, esperando que ele enumere todas as razões pelas quais isso é uma péssima ideia. Ele se movimenta em minha direção. É como se não soubesse o que fazer com as mãos antes de se despedir, então as enfia nos bolsos do jeans. Seu olhar pousa em meu pescoço, antes de voltar ao rosto. É a primeira vez que seus olhos parecem mais intensos que todo o restante.

— Onde fica o quarto?

Fico chocada com seu atrevimento.

Tento disfarçar meu conflito interno, porque adoraria, mais que tudo, me vingar de Ethan transando com o namorado gato de sua amante. Mas a noção de que esse é também o motivo da presença de Graham em meu apartamento me faz pensar se quero ser usada como vingança de alguém.

Mas isso é melhor do que ficar sozinha agora.

Escorrego para fora da mesa e fico de pé. Graham não se afasta, então nossos corpos se tocam quando passo por ele. Meu corpo todo reage, especialmente meus pulmões.

— Me acompanhe.

Ainda estou nervosa, mas não tão nervosa como quando coloquei a chave na fechadura. A voz de Graham me acalma. Sua presença me acalma. É difícil se sentir intimidada por alguém tão triste.

— Nunca faço a cama — confesso, enquanto abro a porta do quarto. Acendo o abajur, e a silhueta de Graham ocupa a entrada.

— Por que não? — Ele avança alguns passos para dentro do cômodo, e é uma visão estranha. Esse homem que nem conheço, parado em meu quarto. O mesmo quarto onde eu deveria estar na fossa, deitada na cama de coração partido, neste exato momento.

E Graham? Será que isso parece estranho para ele também? Sei que devia estar inseguro quanto a Sasha, ou não a teria seguido até o prédio de Ethan com um anel de noivado no bolso.

Graham vinha procurando uma desculpa para pular fora? E eu? Só percebi agora? Porque, no momento, estou nervosa e ansiosa, e sentindo tudo o que eu não deveria estar sentindo poucas horas depois de minha vida dar uma derrocada.

Encaro Graham em silêncio quando me dou conta de que não respondi sua pergunta sobre o motivo de não arrumar a cama. Pigarreio.

— Leva aproximadamente uns dois minutos para fazer a cama. O que significa que uma pessoa comum gasta 38 dias de sua vida arrumando uma cama que vai bagunçar.

Graham parece achar graça disso. Ele abre um de seus meios-sorrisos, então olha para a cama. Assistir a como ele observa minha cama, faz com que eu me sinta despreparada. Eu estava preparada para uma noite com Ethan. Não para transar com um estranho. Não sei se quero as luzes acesas. Nem sei se quero usar o que estou vestindo. Não quero que Graham tenha de despir roupas que escolhi usar pensando em outro homem. Preciso de um tempo para me recompor. Ainda não tive um momento e acho que preciso de um.

— Preciso... — Indico a porta do banheiro. — Preciso de um minuto.

Os lábios de Graham se franzem em um sorriso ligeiramente mais amplo, e me dou conta, nesse momento, de que aqueles lábios incríveis estão prestes a tocar os meus. De repente, paro de me preocupar. É um sentimento esquisito porque sou uma mulher confiante. Mas Graham estabelece um padrão para confiança com o qual não estou acostumada. Sua autoconfiança faz a minha parecer incerteza.

Eu me tranco no banheiro e olho para a porta fechada. Por um instante, até esqueço o que estou fazendo aqui, mas então me lembro de que, pela primeira vez em quatro anos, estou prestes a transar com um cara que não é Ethan. Entro em modo acelerado. Abro a porta do armário e procuro a coisa mais despretensiosa possível. É uma camisola de alcinhas nude. Não é transparente, mas ele vai perceber a ausência do sutiã, que estou arrancando neste exato momento. Visto a camisola e vou até a pia do banheiro. Prendo o cabelo em um coque frouxo para tirá-lo do rosto, então escovo os dentes e a língua até estar convencida de que minha boca não vai lembrar a ele a comida chinesa que roubamos mais cedo.

Eu me olho no espelho e fico me observando por um tempo. Não consigo acreditar que o dia vai terminar assim. Comigo... ansiosa para transar com um homem que não é meu noivo.

Respiro para me acalmar, então abro a porta do banheiro.

Não tenho certeza do que esperava, mas Graham parece o mesmo. Ainda está parado em frente à porta do banheiro, ainda vestindo o jeans e a camiseta. E seu casaco. *E* os sapatos. Estou observando seus sapatos quando ele exclama:

— Uau!

Olho para ele de novo. Está mais perto. O rosto está tão próximo do meu, e quero, de verdade, estender a mão e lhe tocar o queixo. Normalmente, não presto atenção no queixo das pessoas, mas o dele é marcante e coberto pela barba rala, que contorna a boca tão triste quanto seus olhos.

Acho que ele nota nossa proximidade porque, de repente, recua um passo e acena em direção à cama.

Meus travesseiros estão alinhados, e o edredom, enfiado embaixo do colchão e sem uma ruga. Uma das bordas está dobrada com perfeição, revelando o lençol por baixo.

— Você fez minha cama? — Caminho na direção dela e me sento. Não imaginei um começo assim, mas somente porque passei os últimos quatro anos presa à rotina com Ethan.

Graham levanta o edredom, então coloco as pernas para cima e me ajeito na cama. Eu me afasto o suficiente para ele se juntar a mim, mas Graham não o faz; apenas me cobre e se senta na cama, me encarando.

— É bom, não é?

Ajeito o travesseiro e rolo de lado. Ele prende a ponta do edredom debaixo do colchão para evitar que ceda. Sinto o tecido confortável e apertado em torno de meus pés e pernas. Sinto que gosto disso. E, de algum modo, até o topo da coberta parece me aconchegar.

— Estou impressionada.

Ele estende a mão para uma mecha de cabelo solta e a coloca atrás de minha orelha. O gesto é doce. Não conheço Graham muito bem, mas dá para ver que é uma boa pessoa. Dá para ver que é uma boa pessoa desde o segundo em que Ethan abriu a porta e Graham não o atacou fisicamente. É preciso uma boa dose de confiança e autocontrole para se afastar calmamente de uma situação como aquela.

A mão de Graham pousa em meu ombro. Não sei ao certo o que mudou desde que saímos do bar, muito menos desde que entramos em meu quarto. Mas noto que seus pensamentos não são os mesmos de mais cedo. Ele desliza a mão pelo edredom, parando em meu quadril. Sua expressão parece carregada de incerteza. Tento amenizar a tensão.

— Está tudo bem — sussurro. — Pode ir embora.

Ele suspira, aliviado.

— Achei que pudesse fazer isso. Você e eu. Essa noite.

— Também achei que conseguiria, mas... é muito cedo para isso.

Posso sentir o calor de sua mão através do edredom. Ele a sobe um pouco e segura minha cintura conforme se inclina. Com suavidade, me beija na bochecha. Fecho os olhos e engulo em seco, sentindo seus lábios em minha orelha.

— Mesmo que não fosse muito cedo, eu não aceitaria ser seu casinho. — Sinto quando ele se afasta. — Boa noite, Quinn.

Mantenho os olhos fechados enquanto ele se levanta da cama. Não os abro até que ele apague a luz e feche a porta do quarto.

Ele não aceitaria ser meu casinho?

Isso foi um elogio? Ou foi uma forma de dizer que não está interessado?

Rumino suas palavras de despedida por um momento, mas logo as enterro fundo em minha mente. Vou pensar nas palavras de Graham amanhã. No momento, só consigo pensar em tudo o que perdi nessas últimas horas.

Minha vida inteira mudou hoje. Ethan deveria ser minha cara-metade pelo resto de meus dias. Tudo o que julguei saber sobre meu futuro tinha saído de foco. Tudo o que julguei saber sobre Ethan tinha sido uma mentira.

Eu o odeio. Eu o odeio porque, não importa o que aconteça daqui para a frente, jamais serei capaz de confiar em alguém como confiei nele.

Deito de costas e olho fixamente o teto.

— Vá se foder, Ethan Van Kemp. — Que tipo de sobrenome é esse, afinal? Digo meu nome em voz alta, adicionando o dele.

— Quinn Dianne Van Kemp.

Nunca soou tão estúpido quanto agora. Estou aliviada porque aquele jamais será meu nome.

Estou aliviada porque o flagrei me traindo.

Estou aliviada porque tinha Graham para me ajudar.

Estou aliviada porque Graham decidiu ir embora há pouco.

No calor do momento, naquele restaurante com Graham, eu me senti vingativa. Achei que, de alguma forma, dormir com ele aplacaria a dor que Ethan me causou hoje. Mas, agora que Graham se foi, percebo que nada vai atenuar esse sentimento. É apenas uma enorme, inconveniente e dolorosa ferida. Quero trancar a porta da frente e jamais sair de meu apartamento. A não ser por sorvete. Amanhã, vou sair atrás de sorvete, mas, depois disso, nunca mais deixo meu apartamento.

Até o sorvete acabar.

Afasto as cobertas e vou até a sala trancar a porta. Quando estendo a mão para o trinco, noto um Post-it preso à parede ao lado do batente; com um número de telefone. Embaixo dos números, vejo uma breve mensagem.

Me ligue. Depois que sair com outro cara para superar o término.

Graham.

Meus sentimentos em relação ao bilhete são confusos. Graham parece legal, e já assumi minha atração por ele, mas, a essa altura, não tenho certeza se consigo encarar a ideia de sair com outras pessoas. Faz apenas poucas horas desde que terminei meu relacionamento. E, mesmo que chegue o momento em que eu me sinta confortável em namorar de novo, a última pessoa que eu namoraria seria o ex da cúmplice na destruição de tudo de bom em minha vida.

Quero me manter o mais longe possível de Ethan e Sasha. E, infelizmente, Graham apenas me lembraria dos dois.

Ainda assim, seu bilhete me faz sorrir. Mas apenas por um segundo.

Volto para o quarto e me arrasto para debaixo do edredom. Cubro a cabeça, e as lágrimas começam a cair. Graham estava certo quando disse: *Você vai chorar hoje à noite. Na cama. É quando dói mais. Quando se está sozinho.*

Capítulo seis

Agora

No dia que Ava se mudou para a Europa, ela me deixou um presente. Era um pacote de chá exótico, um suposto aliado contra a infertilidade. O problema era que o sabor dele fazia parecer que eu havia rasgado um saquinho de chá e derramado o conteúdo direto na língua, depois engolido com grãos de café.

Então... o milagre do chá da fertilidade estava fora de questão. Vou deixar a cargo do acaso novamente. Decidi tentar por mais um mês. Talvez dois, antes de admitir a Graham que desisto de vez.

Mais dois meses antes de dizer a ele que estou pronta para abrir a caixa de madeira em minha estante.

Estou sentada no balcão da cozinha, vestida com uma das camisetas de Graham, quando ele entra pela porta. Balanço minhas pernas nuas, os pés apontando para o chão. Ele não me nota de imediato, mas, assim que o faz, só tem olhos para mim. Seguro o balcão entre as pernas, abrindo-as apenas o necessário para que ele entenda quais são meus planos para a noite. Seus olhos estão fixos em minhas mãos enquanto afrouxa a gravata, tirando-a do colarinho antes de jogá-la no chão.

Isso é uma das coisas que mais amo no fato de ele chegar do trabalho depois de mim. Todo dia, posso assistir enquanto tira a gravata.

— Alguma ocasião especial? — Ele abre um sorriso enquanto me analisa completamente de uma só vez. Caminha em minha direção, e eu lhe dou meu melhor sorriso sedutor. Aquele que diz que quero deixar toda a farsa para trás por uma noite. A farsa de que estamos bem, a farsa de que estamos felizes, a farsa de que essa é exatamente a vida que escolheríamos se a escolha fosse nossa.

Quando me alcança, seu paletó se foi e os primeiros botões da camisa estão desabotoados. Ele tira o sapato ao mesmo tempo em que as mãos deslizam por minhas coxas. Enlaço seu pescoço, e ele se aperta contra mim, pronto e ansioso. Os lábios encontram meu pescoço, depois meu queixo e então pressionam gentilmente minha boca.

— Onde você quer que eu a possua?

Ele me levanta e me segura no colo enquanto engancho as pernas ao redor de sua cintura.

— No nosso quarto — sussurro em seu ouvido.

Mesmo já tendo desistido de engravidar, é lógico que ainda me prendo a um pequeno fiapo de esperança, pelo menos uma vez ao mês. Não sei se isso significa que sou forte ou patética. Às vezes me sinto as duas coisas.

Graham me coloca na cama, nossas roupas cobrindo a distância entre a cozinha e o quarto, como migalhas marcando o caminho. Ele se posiciona entre minhas pernas e então me penetra com um gemido. Eu o recebo em silêncio.

De todas as maneiras possíveis, Graham é coerente fora do quarto. Mas, dentro dele, jamais sei o que esperar. Às vezes ele faz amor comigo com paciência e abnegação, mas outras vezes é descontrolado, rápido e egoísta. Às vezes é expansivo quando está dentro de mim, sussurrando palavras que me fazem amá-lo ainda mais. Mas outras vezes parece zangado e barulhento, e diz coisas que me deixam envergonhada.

Com ele, nunca sei o que vou enfrentar. Isso costumava me excitar.

Mas agora prefiro apenas uma de suas muitas facetas no quarto. O lado descontrolado, rápido e egoísta de Graham. Eu me sinto menos culpada quando consigo esse lado dele porque, ultimamente, a única coisa que espero do sexo é o resultado final.

Infelizmente, não é a versão egoísta de Graham que encontro no quarto esta noite. Esta noite, ele é o exato oposto do que preciso. Ele saboreia cada momento, me penetrando com investidas controladas enquanto prova todos os detalhes de meu pescoço e meu colo. Tento me sentir tão envolvida quanto ele, às vezes pressionando meus lábios em seu ombro ou puxando seu cabelo. Mas é difícil fingir que não anseio para que acabe logo. Viro o rosto para o lado, permitindo que ele deixe sua marca em meu pescoço enquanto espero.

Graham começa a acelerar o ritmo, e eu me preparo, antecipando o fim, mas ele sai de mim subitamente. Está se inclinando sobre meu corpo, sugando meu mamilo esquerdo, quando reconheço o padrão. Ele vai abrir caminho, degustando cada parte de mim, até enfim deslizar a língua entre minhas pernas, onde vai ficar por preciosos dez minutos, então terei que pensar demais; que dia é hoje, que horas são, o que acontecerá daqui a catorze dias, o que vou fazer ou falar se o teste finalmente der positivo, por quanto tempo vou chorar no chuveiro se der negativo outra vez.

Não quero pensar esta noite. Só quero que se apresse.

Eu o puxo pelo ombro até sua boca se aproximar da minha, e sussurro em seu ouvido:

— Pode gozar, não tem problema.

Tento guiá-lo para dentro de mim novamente, mas ele se retrai. Encontro seu olhar pela primeira vez desde que deixamos a cozinha.

Ele roça meu cabelo com suavidade.

— Não está mais a fim?

Não sei como lhe dizer que jamais estive a fim sem ferir seus sentimentos.

— Está tudo bem. Estou ovulando.

Tento beijá-lo, mas, antes que meus lábios encontrem os seus, ele rola de cima de mim.

Olho para o teto, me perguntando como é possível que fique chateado com meu comentário. Estamos tentando engravidar há tanto tempo. Essa rotina não é novidade.

Graham se levanta da cama. Quando olho para ele, está de costas para mim, vestindo as calças.

— Você está mesmo zangado porque não estou no clima? — pergunto, me sentando. — Se não se lembra, estávamos fazendo sexo há menos de um minuto, independentemente de eu estar no clima ou não.

Graham se vira e me encara, hesitando até organizar os pensamentos. Ele passa a mão pelo cabelo, frustrado, então se aproxima da cama. A tensão em seu maxilar trai sua irritação, mas a voz é calma e baixa quando fala.

— Estou cansado de foder em prol da ciência, Quinn. Seria bacana se, pelo menos uma vez, eu pudesse estar dentro de você porque você me *quer*. Não porque é um requisito para engravidar.

As palavras machucam. Parte de mim quer revidar e dizer algo doloroso, mas a maior parte sabe que ele está falando a verdade. Às vezes também sinto falta de fazer amor de forma espontânea. Mas chegamos a um ponto em que todas as tentativas fracassadas de engravidar começaram a magoar demais. Tanto que me dei conta de que quanto menos sexo fizéssemos menos decepcionada eu ficaria. Se tivéssemos relações apenas nos dias de minha ovulação, eu me decepcionaria um número menor de vezes.

Gostaria que ele entendesse. Queria que ele soubesse que, às vezes, a tentativa, para mim, é pior que o fracasso. Tento me solidarizar com seus sentimentos, mas é difícil porque não sei ao certo se ele se solidariza com os meus. Como poderia? Não é ele que fracassa todas as vezes.

Posso ficar decepcionada comigo mesma mais tarde. No momento, só quero que ele volte para a cama. Que volte para dentro de mim. Porque ele tem razão. Sexo com meu marido com certeza é um requisito para engravidar. E hoje é nossa melhor chance no mês.

Chuto as cobertas, deixando meu corpo exposto na cama. Pressiono uma das mãos em minha barriga e chamo sua atenção para o local.

— Me desculpe — murmuro, correndo meus dedos para cima. — Volte para a cama, Graham.

Seu maxilar ainda está tenso, mas os olhos seguem minha mão. Consigo ver seu conflito interior: parte dele quer sair do quarto e outra parte quer entrar em mim. Não gosto que ainda não esteja convencido de que o quero, então fico de bruços. Se tem uma coisa em meu corpo que Graham ama é a visão de quando estou de bruços.

— Eu quero você dentro de mim, Graham. É só o que quero. Juro — *minto*.

Fico aliviada quando ele geme.

— Porra, Quinn.

E então ele está de novo na cama, as mãos em minhas coxas, os lábios em minha bunda. Desliza uma das mãos embaixo de mim e pressiona minha barriga, me levantando o bastante para que possa me invadir por trás com mais facilidade. Gemo e aperto os lençóis de modo convincente.

Graham segura meus quadris e fica de joelhos, me puxando contra si até se enterrar completamente em mim.

Não tenho mais o Graham paciente. No momento, ele é uma mistura de emoções, investindo com raiva e impaciência. Está concentrado em gozar, nada preocupado comigo, o que é exatamente o que quero.

Eu gemo e vou ao encontro de suas arremetidas, torcendo para que ele não perceba que o restante de mim está desconectado do momento. Depois de um tempo, não estamos mais de joelhos; de algum modo, acabo pressionada de bruços contra o colchão, todo o peso de Graham sobre as costas. Ele aperta minhas mãos que apertam o lençol, e relaxo quando ele solta um ganido. Espero até que me encha de esperança.

Mas ele não o faz.

Em vez disso, sai de mim, se comprimindo contra a curva de minhas costas. Então geme uma última vez em meu pescoço. Sinto o fluido em minha pele, quente e úmido enquanto escorre por meu quadril e ensopa o colchão.

Ele acabou de...?

Sim, ele fez mesmo isso.

Lágrimas me queimam os olhos quando me dou conta de que ele não gozou dentro de mim. Quero sair de baixo de Graham, mas ele é muito pesado e ainda está tenso, e não consigo me mexer.

Assim que o sinto relaxar, tento me levantar. Ele deita de costas. Eu me afasto, usando o lençol para me limpar. Lágrimas correm por meu rosto, e as enxugo com raiva. Estou tão zangada que não consigo falar. Graham apenas me observa enquanto tento disfarçar a fúria que sinto. E a vergonha.

Graham é meu marido, mas essa noite ele era um meio para atingir um fim. E, embora eu tenha tentado convencê-lo do contrário, ele apenas comprovou suas suspeitas ao me negar a única coisa que eu queria dele hoje à noite.

Não consigo segurar as lágrimas, mas tento mesmo assim. Puxo o cobertor até os olhos, e Graham rola para fora da cama e pega as calças. Minhas lágrimas silenciosas se tornam soluços, e meus ombros começam a tremer. Não é de meu feitio fazer isso na sua frente. Em geral, guardo o desabafo para meus banhos demorados.

Enquanto pega seu travesseiro, parte dele parece querer me consolar enquanto outra parte parece querer gritar comigo. A parte irritada vence, e Graham se dirige à porta.

— Graham — sussurro.

Minha voz o detém, e ele se vira e me encara. Está arrasado, nem mesmo sei o que falar. Queria ser capaz de pedir desculpas por desejar um filho mais que a ele. Mas isso não resolveria nada, porque seria mentira. Não lamento. Eu me sinto amargurada que ele não entenda o que o sexo se tornou para mim nos últimos anos. Graham quer que eu continue a desejá-lo, mas não consigo, não quando sexo e fazer amor sempre me deram esperança de que aquela poderia ser a chance em um milhão de engravidar. E todo o sexo e todo o amor, que me enchem de expectativas, depois levam ao momento em que toda a esperança é suplantada pela angústia.

Com o passar dos anos, toda a rotina e as emoções associadas começaram a se entrelaçar. Eu não podia separar o sexo da esperança e não conseguia discernir a esperança da angústia. O sexo que se tornou esperança se tornou angústia.

SexoEsperançaAngústia. Angústia. Angústia.

Agora *tudo* parece angustiante para mim.

Ele jamais vai entender. Jamais vai entender que não é *ele* que não desejo. É a angústia.

Graham me estuda, esperando que eu acrescente algo depois de seu nome. Mas não digo mais nada. Não consigo.

Ele assente de leve, dando meia-volta. Observo os músculos em suas costas se contraírem. Observo seu punho fechar e abrir. Posso vê-lo exalar um suspiro profundo, embora não possa ouvi-lo. Então ele abre a porta do quarto com tranquilidade antes de batê-la com toda a força.

Um baque alto acerta a porta pelo outro lado. Fecho bem os olhos, e todo o meu corpo fica tenso quando acontece de novo. Então de novo.

Escuto enquanto ele esmurra a porta cinco vezes pelo lado de fora. Escuto enquanto libera sua mágoa e rejeição contra a madeira, porque sabe que não pode despejá-la em nada mais. Quando tudo está em silêncio novamente... eu me despedaço.

Capítulo sete

Antes

Tem sido difícil esquecer Ethan. Bem, não *Ethan per se*. Perder o relacionamento foi pior que perder Ethan. Quando você se conecta a uma pessoa por tanto tempo, é difícil ficar sozinha outra vez. Levou alguns meses antes que eu finalmente apagasse cada vestígio dele do apartamento. Eu me livrei do vestido de noiva, das fotos, dos presentes que ele me deu ao longo dos anos, das roupas que me faziam lembrar dele. Até comprei uma cama nova, embora isso tenha mais a ver com o fato de querer uma nova do que com as memórias de Ethan.

Já faz seis meses, e a única razão para eu estar em um segundo encontro com esse tal de Jason é porque o primeiro não foi um completo desastre. E Ava me convenceu.

Por mais que minha mãe amasse Ethan e ainda deseje que eu o perdoe, acredito que vá gostar ainda mais de Jason. O que deveria ser um ponto positivo, só que não é. Minha mãe e eu temos gostos bem diferentes. Estou torcendo para que Jason diga ou faça algo que minha mãe não aprovaria, e assim eu possa me sentir um pouco mais atraída por ele.

Ele já repetiu várias perguntas que me fez na última sexta-feira. Perguntou quantos anos eu tinha, e eu respondi que tinha 25, a mesma idade que na sexta passada. Me perguntou quando fazia aniversário, e eu disse que ainda no dia 26 de julho.

Eu me esforço para não ser uma vaca, mas ele não está ajudando. É bem óbvio que não prestou a menor atenção em nada do que eu disse semana passada.

— Então você é de Leão? — pergunta ele.

Assinto com a cabeça.

— Sou Escorpião.

Não faço ideia do que isso diz a seu respeito. Astrologia nunca foi meu forte. Além do mais, é difícil me concentrar em Jason porque há algo muito mais interessante atrás dele. A duas mesas, sorrindo em minha direção, está Graham. Assim que o reconheço, logo baixo meu olhar para o prato.

Jason diz algo sobre a compatibilidade entre escorpianos e leoninos, e eu o encaro, torcendo para que não note o caos que sinto no momento. Mas minha resolução esmorece porque agora Graham está de pé. Não posso evitar, então olho por cima do ombro de Jason e observo Graham pedir licença a sua acompanhante. Ele olha em meus olhos e vem em nossa direção.

Aperto o guardanapo em meu colo, me perguntando por que, de repente, estou mais nervosa com a visão de Graham do que jamais estive na companhia de Jason. Faço contato visual com Graham logo antes de ele alcançar minha mesa. Mas, tão logo eu o encaro, ele desvia o olhar. Assente com a cabeça uma vez, na direção em que caminha, e passa por nossa mesa, a mão mal roçando meu cotovelo. Um resvalar fugaz de seu dedo em minha pele. Eu ofego.

— Você tem irmãos?

Pouso o guardanapo na mesa.

— Ainda só uma. — Arrasto a cadeira. — Já volto. Preciso ir ao banheiro.

Jason se afasta da mesa, meio levantado enquanto coloco minha cadeira no lugar. Sorrio para ele e sigo para o banheiro. Para Graham.

Por que estou tão nervosa?

Os banheiros ficam nos fundos do restaurante. É preciso entrar em uma divisória para encontrar o corredor. Graham já dobrou a esquina, então hesito antes de fazer a curva. Levo a mão ao peito, esperando que, de alguma forma, o gesto acalme o que se passa ali dentro. E então exalo e entro na passagem.

Graham está casualmente encostado à parede, a mão no bolso do terno. A visão tanto me excita quanto conforta, mas também me sinto mal por nunca ter ligado.

Graham abre seu meio-sorriso preguiçoso.

— Olá, Quinn.

Seus olhos ainda franzem um pouco quando sorri, e fico feliz em presenciar aquilo. Não sei por quê. Gosto de como ele sempre parece travar uma eterna batalha secreta.

— Oi. — Paro, constrangida, a alguns passos dele.

— Graham — diz ele, tocando o próprio peito. — Caso tenha esquecido.

Balanço a cabeça.

— Não esqueci. É difícil esquecer qualquer detalhe do pior dia de minha vida.

Meu comentário o faz sorrir. Ele se afasta da parede e dá um passo em minha direção.

— Você nunca ligou.

Dou de ombros, como se não tivesse dedicado a seu telefone a devida atenção. Mas, na verdade, eu olhava para o Post-it todo dia. Ainda está na parede, onde ele o deixou.

— Você disse para eu ligar depois que tivesse um casinho pós-término. E só agora estou entrando em um.

— É o cara que está com você hoje?

Assinto com a cabeça. Ele se aproxima mais um passo, ficando a apenas dois de mim. Mas é como se estivesse me sufocando.

— E você? — pergunto. — A garota de hoje é seu caso pós-término?

— Meu caso pós-término foi duas garotas atrás.

Odeio aquela resposta. Eu a odeio o bastante para acabar com a conversa.

— Bem... parabéns. Ela é bonita. — Graham estreita os olhos como se tentasse decifrar tudo o que deixo de dizer. Dou um passo na direção do banheiro feminino e coloco a mão na porta. — Foi bom ver você, Graham.

Seus olhos continuam semicerrados, e ele inclina a cabeça de leve. Não sei mais o que dizer. Entro no banheiro e deixo a porta bater atrás de mim. Solto um longo suspiro. Aquilo foi intenso.

Por que foi tão intenso?

Vou até a pia e abro a torneira. Minhas mãos tremem, então as lavo com água quente e torço para que o sabonete de lavanda ajude a me acalmar. Seco as mãos, então as examino pelo reflexo no espelho, tentando me convencer de que não me deixei afetar por Graham. Mas fiquei afetada. Minhas mãos ainda estão tremendo.

Por seis meses quis ligar para ele, mas por seis meses me convenci do contrário. E agora, ao saber que ele seguiu com sua vida e que está com alguém, posso ter perdido minha chance. Não que quisesse uma. Continuo firme na crença de que ele me lembraria demais do que aconteceu. Se decidir me envolver, prefiro que seja com alguém novo em folha. Alguém sem qualquer relação com o pior dia de minha vida.

Alguém como Jason, talvez?

— Jason — murmuro. *Melhor voltar para meu encontro.*

Quando abro a porta, Graham ainda está no mesmo lugar. Ainda me observando com a cabeça inclinada. Paro de repente, e a porta acerta minhas costas quando se fecha, me empurrando para a frente.

Olho para o fim do corredor, em seguida encaro Graham.

— Não tínhamos terminado?

Ele inspira com calma enquanto dá um passo em minha direção. Dessa vez, fica bem próximo de mim e enfia as mãos nos bolsos.

— Como você está? — Sua voz é baixa, como se fosse difícil para ele pronunciar as palavras. Fica nítido pelo modo como seus olhos buscam os meus que está se referindo a tudo o que tenho passado desde o término; o cancelamento do casamento.

Gosto da sinceridade da pergunta. Sinto o mesmo conforto que sua presença me trouxe há seis meses.

— Bem — respondo, com um pequeno aceno. — Fiquei com alguns problemas de confiança, mas, fora isso, não posso reclamar.

Ele parece aliviado.

— Que bom.

— E você?

Ele me encara por um momento, mas não vejo o que esperava em seus olhos. Em vez disso, vejo arrependimento. Tristeza. Como se, talvez, ainda não tivesse se recuperado da perda de Sasha. Ele dá de ombros, mas não responde com palavras.

Tento não deixar minha compaixão transparecer, mas fracasso.

— Talvez essa nova garota seja melhor que Sasha. E você vá finalmente superar.

Graham ri brevemente.

— Já superei Sasha — diz ele, com convicção. — Certeza de que superei Sasha no momento que conheci você. — Ele me dá quase zero chance de absorver suas palavras antes de me atacar com outras. — Melhor a gente voltar para nossos encontros, Quinn. — Ele dá meia-volta e segue pelo corredor.

Fico parada, atônita com suas palavras. "Certeza de que superei Sasha no momento que conheci você".

Não acredito no que ele acabou de me dizer. Ele não pode simplesmente soltar uma bomba dessas e sair andando! Eu o sigo, mas ele já está a meio caminho da mesa. Encontro o olhar de Jason, e ele sorri ao me ver, se levantando. Tento me recompor, mas é difícil fazer isso quando Graham se inclina e dá um beijo rápido na têmpora de sua acompanhante antes de sentar a sua frente.

Ele está querendo me deixar com ciúmes? Se for o caso, não está funcionando. Não tenho tempo para homens frustrantes. Mal tenho tempo para homens tediosos, como Jason.

Jason deu a volta na mesa para puxar a cadeira para mim. Antes de me sentar, Graham busca meu olhar novamente. Juro que posso vê-lo sorrir com ironia. Não imagino por que desço a seu nível, mas me inclino e dou um beijo leve nos lábios de Jason.

Então me sento.

Tenho uma visão clara de Graham enquanto Jason volta a seu lugar. Graham não está mais sorrindo.

Mas eu sim.

— Estou pronta para sair daqui — digo.

Capítulo oito

Agora

Ava e eu conversávamos por telefone quase diariamente quando ela morava em Connecticut, mas, agora que ela vive do outro lado do mundo, parece que nos falamos ainda mais. Às vezes até duas vezes ao dia, apesar do fuso horário.

— Preciso contar uma coisa.

Ouço um tremor em sua voz. Fecho a porta de casa e deixo minhas coisas no balcão da cozinha.

— Você está bem? — Pouso a bolsa e pego o celular, que estava preso entre o ombro e a orelha.

— Sim. Estou bem. Não é nada nesse sentido.

— Bem, o que é? Você está me assustando, então só pode ser uma notícia ruim.

— Não é. É... boa, na verdade.

Afundo no sofá da sala. Se é uma notícia boa, por que ela parece tão infeliz?

Então tudo se encaixa. Ela nem precisa confessar.

— Você está grávida? — Hesitação. O outro lado da linha fica em silêncio absoluto, então olho para o visor para confirmar se ainda estou conectada. — Ava?

— Estou grávida — confirma.

Agora *eu* fico em silêncio. Levo a mão ao peito, sentindo o pulsar débil de meu coração. Por um instante, temi o pior. Mas, agora que sei que ela não está morrendo, não posso evitar me perguntar por que não parece feliz.

— Está tudo bem?

— Sim — responde ela. — É inesperado, óbvio. Ainda mais depois da mudança. Agora que tivemos alguns dias para nos acostumar, na verdade, estamos animados.

Meus olhos se enchem de lágrimas, mas não tenho certeza de por que sinto vontade de chorar. Isso é bom. Ela está animada.

— Ava — sussurro. — Isso é... Uau.

— Eu sei. Você vai ser titia. Digo, sei que já é tia, por conta da sua cunhada, mas nunca pensei que também seria por minha causa.

Forço um sorriso, mas me dou conta de que não é o bastante, então forço uma risada.

— Sua mãe vai ser avó.

— Essa é a parte mais estranha — diz ela. — Mamãe não sabe como digerir a novidade. Ela deve estar se afogando em martínis ou comprando roupas de bebê.

Engulo a inveja que sinto ao compreender que minha mãe soube antes de mim.

— Você... você já contou para ela?

Ava deixa escapar um suspiro carregado de arrependimento.

— Ontem. Eu teria contado para você primeiro, mas... queria o conselho de mamãe. Sobre como contar.

Apoio a cabeça no sofá. Ava tinha medo de me contar? Ela me acha tão desequilibrada assim?

— Você pensou que eu ficaria com inveja?

— Não — responde de pronto. — Não sei, Quinn. Chateada, talvez? Decepcionada?

Outra lágrima cai, mas dessa vez não é uma lágrima de alegria. Eu a enxugo rapidamente.

— Você não devia duvidar de mim. — Eu me levanto na tentativa de me recompor, muito embora ela não possa me ver. — Tenho que desligar. Parabéns.

— Quinn.

Termino a ligação e olho para o telefone. Como minha própria irmã pôde pensar que eu não ficaria feliz por ela? Ela é minha melhor amiga. Estou contente por ela e por Reid. Eu nunca ficaria ressentida por ela ser capaz de engravidar. A única coisa que me magoa é ela conceber tão fácil por *acidente.*

Ai, Deus. Sou uma pessoa horrível.

Não importa o quanto tente negar, eu estou rancorosa. *E* desliguei na sua cara. Aquele devia ser um dos melhores momentos de sua vida, mas ela me ama demais para estar plenamente feliz. E sou muito egoísta para permitir isso.

No mesmo instante, retorno a ligação.

— Me desculpe — disparo assim que ela atende.

— Está tudo bem.

— Não, não está. Você tem razão. Agradeço que esteja tentando ser sensível em relação ao que Graham e eu estamos passando, mas, sério, Ava. Estou tão feliz por você e Reid. E estou muito animada com a ideia de ser tia novamente.

Posso ouvir o alívio em sua voz quando ela diz:

— Obrigada, Quinn.

— Mas tem uma coisa.

— O quê?

— Você contou para *sua mãe* primeiro? Nunca vou perdoar você por isso.

Ava ri.

— Me arrependi assim que contei. Na verdade, ela disse: "Mas você vai criar seu filho na Europa? Ele vai ter sotaque!"

— Deus nos ajude.

Nós duas rimos.

— Preciso batizar um *humano*, Quinn. Espero que me ajude, porque Reid e eu nunca vamos concordar com um nome.

Conversamos um pouco mais. Faço as perguntas de praxe. Como ela descobriu. *Consulta de rotina*. Para quando é. *Abril*. Quando vão saber se é menina ou menino. *Preferem a surpresa*.

Quando a conversa chega ao fim, Ava diz:

— Antes que desligue... — Ela hesita. — Já teve resposta da última agência de adoção?

Eu me levanto e sigo até a cozinha. De repente, tenho sede.

— Sim. — Pego uma garrafa de água da geladeira, tiro a tampa e a levo até os lábios.

— Não me parece uma boa notícia.

— É o que é — argumento. — Não posso mudar o passado de Graham, e ele não pode mudar meu presente. Não tem sentido insistir.

Por um instante, Ava fica em silêncio.

— E se você tentasse uma adoção privada?

— Com que dinheiro?

— Peça para sua mãe.

— Isso não é uma bolsa, Ava. Não vou deixar sua mãe me comprar um humano. Eu ficaria em débito com ela por toda a eternidade. — Olho para a porta assim que Graham entra na sala de estar. — Tenho que ir. Amo você. Parabéns.

— Obrigada — agradece ela. — Também amo você.

Termino a ligação no momento que os lábios de Graham tocam meu rosto.

— Era Ava? — Ele estende a mão para minha garrafa de água e toma um gole.

Assinto com a cabeça.

— Sim. Ela está grávida.

Ele quase engasga com o líquido. Limpa a boca e ri um pouco.

— Sério? Pensei que ela não quisesse filhos.

Dou de ombros.

— Parece que mudaram de ideia.

Graham sorri, e amo ver que está genuinamente feliz por eles. O que odeio, no entanto, é que o sorriso se apaga e a preocupação tolda seus olhos. Ele não diz nada, mas nem precisa. Vejo a ansiedade. Não quero que me pergunte como me sinto em relação ao assunto, então abro ainda mais o sorriso e tento convencê-lo de que estou perfeitamente bem.

Porque estou. Ou vou ficar. Assim que a ficha cair.

* * *

Graham fez espaguete à carbonara. Insistiu em cozinhar essa noite. Em geral, gosto quando cozinha, mas tenho a impressão de que ele apenas insistiu em cozinhar hoje porque teme que eu possa ter uma reação negativa ao fato de que minha irmã consegue conceber por acidente, enquanto eu sequer sou capaz de engravidar após seis anos de tentativas deliberadas.

— Já teve alguma resposta da agência de adoção?

Ergo os olhos do prato e observo a boca de Graham. A boca que acaba de articular aquela pergunta. Aperto meu garfo e volto os olhos de novo para o prato.

Tínhamos passado um mês sem discutir nossos problemas de infertilidade. Ou o fato de que nenhum de nós havia tomado a iniciativa para transar desde a noite que ele dormiu no quarto de hóspedes. Eu estava torcendo para que pudéssemos passar *outro* mês sem tocar nesse assunto.

Assinto.

— Sim. Eles ligaram na semana passada.

Noto que ele engole em seco enquanto desvia o olhar e corre o garfo a esmo pelo prato.

— Por que não me contou?

— Estou contando agora.

— Só porque perguntei.

Não digo mais nada. Ele tem razão. Eu devia ter lhe contado semana passada, assim que recebi a ligação, mas machuca. Não gosto de falar sobre coisas que machucam. E, nos últimos tempos, tudo machuca. Motivo pelo qual mal falo.

Mas também não contei porque sei que ele ainda sente culpa pelo incidente. O incidente responsável por nossa terceira rejeição em uma agência de adoção.

— Sinto muito — lamenta ele.

Sinto um aperto no peito, porque sei que não está se desculpando pela troca de farpas. Está se desculpando por saber que fomos recusados por conta de sua antiga condenação.

Aconteceu quando ele tinha apenas 19 anos. Graham não toca muito no assunto. Quase nunca. A batida não foi sua culpa, mas por causa da quantidade de álcool em seu organismo, não fez diferença. A acusação ainda consta em seu registro e vai sempre nos tirar da corrida, já que casais *sem* antecedentes criminais são aprovados em nosso lugar.

Mas aquilo foi há anos. Não é algo que possa mudar, e ele tinha sido punido com rigor quando era apenas um adolescente. A última coisa de que precisa é que a própria esposa o culpe também.

— Não se desculpe, Graham. Se você se desculpar por não sermos aprovados para adoção, terei que me desculpar por não ser capaz de engravidar. As coisas são como são.

Por um instante, seus olhos encontram os meus, e vejo um brilho de admiração ali.

Ele desliza o dedo pela borda do copo.

— Nosso problema de adoção é resultado de uma má escolha que fiz. Você não pode controlar o fato de que é incapaz de conceber. Existe uma diferença.

Meu casamento com Graham não é exemplar, mas somos um perfeito exemplo de quando e onde a culpa deve ser atribuída. Ele nunca me faz sentir culpada por ser incapaz de engravidar, e eu jamais quero que se sinta culpado por uma escolha pela qual já se martiriza o bastante.

— Pode haver uma diferença, mas não muito grande. Vamos deixar isso para lá. — Estou cansada dessa conversa. Já a tivemos tantas vezes, e não muda nada. Levo outra garfada à boca, pensando em uma maneira de mudar de assunto, mas ele simplesmente continua:

— E se... — Ele se inclina para a frente agora, empurrando o prato para o centro da mesa. — E se você se candidatasse sozinha para adoção? E se me deixasse fora da equação?

Eu o encaro, sopesando tudo o que a pergunta implica.

— Não posso. Somos legalmente casados. — Ele não reage. O que significa que, com certeza, sabe o que está sugerindo. Eu me recosto na cadeira e o observo com cautela. — Está insinuando que deveríamos nos divorciar para que eu possa me candidatar por conta própria?

Graham estende o braço por cima da mesa e cobre minha mão com a sua.

— Não significaria nada, Quinn. Ainda estaríamos juntos. Mas pode aumentar nossas chances se nós simplesmente... você sabe... fingíssemos que não faço parte do quadro. Então minha condenação não afetaria nossas chances.

Analiso a ideia por um momento, mas é tão absurda quanto nossa insistência em tentar engravidar. Quem recomendaria uma mulher solteira, divorciada, para adotar uma criança no lugar de um casal casado, estável, com mais renda e oportunidades? Ser aprovado por uma agência já não é um processo simples, ser selecionado e a mãe biológica seguir com o acordo então é algo ainda mais difícil. Sem mencionar as taxas. Graham ganha duas vezes mais que eu, e, ainda assim, talvez não possamos arcar com as despesas, mesmo que eu consiga, de algum modo, ser aprovada.

— Não temos dinheiro para isso. — Espero que o argumento seja o fim da discussão, mas posso ver em sua expressão que ele tem outra proposta. Também posso ver, pelo modo como não está prontamente sugerindo seja lá o que tem em mente, que a ideia deve envolver minha mãe. Imediatamente, balanço a cabeça e pego meu prato. Levanto. — Não vamos pedir a ela. A última vez que conversei com minha mãe sobre adoção, ela me disse que Deus me daria um filho quando eu estivesse pronta. E como eu disse para Ava mais cedo, a última coisa de que precisamos é que ela se sinta dona de um pedaço de nossa família. — Levo meu prato até a pia. Graham arrasta a cadeira para trás e se levanta.

— Foi só uma ideia — argumenta ele, me seguindo até a cozinha. — Sabe, tem um cara no trabalho que disse que a irmã tentou engravidar por sete anos. Descobriu há três meses que está grávida. O bebê nasce em janeiro.

Sim, Graham. Isso se chama milagre. E se chama milagre porque as chances de acontecer são nulas.

Abro a torneira e lavo meu prato.

— Você conversa sobre isso com seus colegas de trabalho?

Graham está ao meu lado agora, pousando o prato na pia.

— Às vezes — responde, baixinho. — As pessoas perguntam por que não temos filhos.

Posso sentir a pressão se acumulando em meu peito. Preciso pôr um ponto final nessa conversa. Quero que Graham pare de falar sobre isso também, mas ele se recosta no balcão e abaixa a cabeça.

— Ei.

Olho de esguelha para ele para indicar que estou ouvindo, então desvio minha atenção para os pratos.

— Quase não falamos mais sobre o assunto, Quinn. Não sei se isso é bom ou ruim.

— Nem uma coisa nem outra. Só estou cansada de ter a mesma conversa. Nosso casamento se resume a isso.

— Quer dizer que está conformada?

— Conformada com o quê? — Ainda não o encaro.

— Com o fato de que jamais seremos pais.

O prato escorrega de minha mão. Ele cai no fundo da pia com um ruído alto.

Mas não quebra, como acontece comigo.

Nem mesmo sei por que acontece. Estou agarrando a pia agora, e minha cabeça pende dos ombros, e as lágrimas começam a cair. *Merda*. Às vezes não consigo mesmo me suportar.

Graham espera alguns segundos antes de vir me consolar. Ele não me estreita nos braços, no entanto. Acho que sabe que não quero chorar agora, e me abraçar é algo que ele aprendeu que não ajuda nessas situações. Não choro na sua frente o tanto que choro sozinha, mas já o fiz um número considerável de vezes para ele entender que prefiro desabar sozinha. Ele passa a mão em meus cabelos e beija minha nuca. Então apenas toca meu braço e me afasta da pia. Ele pega o prato e termina de lavar a louça. Faço o que faço melhor: me afasto até me sentir forte o bastante para fingir que essa conversa jamais aconteceu. E ele faz o que faz melhor: me deixa sozinha em minha dor, porque eu tornara impossível para ele me consolar.

Estamos nos tornando mestres em interpretar nossos papéis.

Capítulo nove

Antes

Estou em minha cama. Beijando Jason.
E a culpa é de Graham.

Eu nunca teria convidado Jason para meu apartamento se não houvesse encontrado Graham. Mas, por alguma razão, vê-lo me despertou... *sentimentos*. E assistir ao beijo que deu na têmpora de sua acompanhante me encheu de ciúmes. E observar enquanto ele segurava a mão dela sobre a mesa ao passarmos por eles me encheu de arrependimento.

Por que nunca liguei para ele?

Eu devia ter ligado.

— Quinn. — Jason havia parado de beijar meu pescoço, e agora olhava para mim com uma expressão carregada de tantas emoções que nem quero considerar no momento. — Você tem camisinha?

Minto e respondo que não.

— Desculpe. Não pensei que iria trazer você aqui essa noite.

— Tudo bem — diz ele, levando a boca até meu pescoço novamente. — Vou vir preparado da próxima vez.

Eu me sinto péssima. Tenho quase certeza de que nunca vou transar com Jason. Tenho certeza de que ele não voltará a meu apartamento depois desta noite. Tenho *ainda mais* certeza de que vou pedir que vá embora. Não tinha tanta certeza antes do jantar. Mas, depois de encontrar Graham, eu me dei conta de como deveria me sentir com alguém. E a maneira como me sinto com Jason é uma pálida sombra do que sinto quando estou perto de Graham.

Jason murmura algo inaudível em meu pescoço. Seus dedos trilharam o caminho até minha blusa e sobre meu sutiã.

Graças a Deus a campainha toca.

Deslizo para fora da cama, apressada.

— Deve ser minha mãe — digo a ele, ajeitando minhas roupas. — Espere aqui. Já volto.

Jason deita de costas e me observa sair do quarto. Corro até a porta e sei exatamente quem espero que seja antes mesmo de abri-la. Mas, mesmo assim, arquejo quando espio pelo olho mágico.

Graham está parado no corredor, observando os próprios pés.

Encosto a testa na porta e fecho os olhos.

O que ele está fazendo aqui?

Tento ajeitar a blusa e o cabelo antes de abrir a porta. Quando enfim estou frente a frente com ele, fico irritada com o modo como sua presença me perturba. Graham nem mesmo me toca, e já o sinto em toda parte. Jason me toca por toda parte, e não o sinto em lugar algum.

— O que... — As palavras que acabaram de sair de minha boca são mais sussurros que voz. Pigarreio e tento outra vez. — O que você está fazendo aqui?

Graham sorri de leve, levando a mão até o batente da porta. O sorriso em seu rosto e o fato de que está mascando chiclete são duas das coisas mais sexy que já vi juntas.

— Pensei que esse era o plano. Estou tão confusa.

— O plano?

Ele gargalha com vontade. Em seguida, inclina a cabeça. Gesticula para trás de mim, para dentro de meu apartamento.

— Pensei... — Ele aponta sobre o ombro, para trás de si. — No restaurante. Rolou esse olhar... logo antes de você ir embora. Achei que estava me convidando para vir até aqui.

Seu tom de voz é mais alto que o ideal no momento. Olho para trás para checar se Jason não saiu do quarto. Então tento esconder Graham um pouco melhor, me aproximando mais do outro lado da porta.

— Que *olhar*?

Os olhos de Graham se estreitam bastante.

— Você não me deu um olhar?

Balanço a cabeça.

— Não dei olhar nenhum. Nem saberia como conjurar um olhar que dissesse: "Ei, se livre de seu encontro e venha até meu apartamento hoje à noite."

Os lábios de Graham formam uma linha fina, e ele olha para o chão, ligeiramente constrangido. Então ergue os olhos.

— Ele está aqui? O cara com que você estava saindo? — pergunta, com a cabeça ainda inclinada.

Agora sou *eu* que me sinto constrangida. Assinto. Graham suspira e se apoia na maçaneta.

— Uau! Entendi tudo errado.

Quando me encara novamente, noto que o lado esquerdo de seu rosto está vermelho. Eu me aproximo e estendo a mão para sua bochecha.

— O que houve?

Ele sorri e segura minha mão para afastá-la de seu rosto. Mas não a solta. E não quero que solte.

— Levei um tapa. Tudo bem. Eu mereci.

Então eu vejo. O contorno de uma mão.

— Foi a garota com quem você estava?

Ele levanta um dos ombros.

— Depois do que aconteceu com Sasha, prometi ser honesto em meus relacionamentos dali em diante. Jess... a garota de hoje... não acha que isso seja uma qualidade.

— O que você disse a ela?

— Terminei com ela. Confessei que estava a fim de outra garota. E que estava a caminho do apartamento dela.

— Porque essa outra garota, supostamente, lhe deu um olhar.

Ele sorri.

— Foi o que eu *achei*, pelo menos. — Ele acaricia as costas de minha mão com o polegar, em seguida a solta. — Bem, Quinn. Quem sabe outra hora.

Graham recua um passo, e a sensação é de que arranca todas as minhas emoções ao se virar para ir embora.

— Graham — chamo, saindo para o corredor. Ele dá meia-volta, e não sei se vou me arrepender do que estou prestes a falar, mas vou me arrepender ainda mais se não o fizer. — Volte em quinze minutos. Vou me livrar dele.

Graham abre o perfeito sorriso agradecido, mas, antes que se vá, seus olhos desviam de meu rosto. Para alguém atrás de mim. Eu me viro e vejo Jason parado na porta. Parece furioso. E com razão.

Ele abre mais a porta e sai pelo corredor. Passa por Graham, dando um encontrão em seu ombro. Graham apenas fica parado, em silêncio, encarando o chão.

Eu me sinto péssima. Mas, se não tivesse acontecido assim, eu teria lhe dado o tiro de misericórdia quando ele saísse de meu apartamento mais tarde. Rejeição é um saco, não adianta dourar a pílula.

A porta da escada se fecha com uma batida, e nenhum de nós fala enquanto ouvimos os passos de Jason sumindo degraus abaixo. Quando tudo se acalma, Graham enfim levanta a cabeça e faz contato visual comigo.

— Ainda vai precisar daqueles quinze minutos?

Balanço a cabeça.

— Não.

Graham caminha em minha direção enquanto recuo até o apartamento. Mantenho a porta aberta para ele, certa de que não vai sair daqui tão rápido quanto da última vez. Assim que entra, fecho a porta, então me viro. Graham está sorrindo, observando a parede ao lado de minha cabeça. Sigo sua linha de visão até o Post-it que deixou ali há seis meses.

— Ainda está aqui.

Sorrio, encabulada.

— Eu teria ligado, em algum momento. Talvez.

Graham arranca a nota adesiva e a dobra ao meio, enfiando o papel no bolso.

— Você não vai precisar disso depois de hoje. Vou garantir que saiba meu número de cor, antes de ir embora amanhã.

— Isso tudo é confiança de que vai passar a noite aqui?

Graham avança um passo, determinado. Coloca a mão na porta, do lado de minha cabeça, forçando minhas costas contra a madeira. Só quando faz isso é que me dou conta de por que o acho tão atraente.

É porque ele faz com que eu *me sinta* atraente. O modo como olha para mim. O jeito como fala comigo. Não me lembro de alguém já ter feito eu me sentir tão bonita quanto ele faz eu me sentir quando me olha. Como se precisasse de todo o autocontrole para manter a boca longe de mim. Seus olhos caem para meus lábios. Ele se inclina mais para perto, posso sentir o sabor do chiclete que está mascando. *Hortelã*.

Quero que ele me beije. Quero que me beije ainda mais do que ansiei que Jason *parasse* de me beijar. E isso significa muita coisa. Mas, independentemente do que vai acontecer entre Graham e eu, sinto que deve começar com completa honestidade.

— Beijei Jason. Mais cedo. Antes de você chegar.

Minha confissão não parece desencorajá-lo.

— Imaginei.

Coloco as mãos em seu peito.

— Eu só... quero beijar você também. Mas é estranho, porque acabei de beijar outra pessoa. Gostaria de escovar os dentes primeiro.

Graham ri. *Amo sua risada*. Ele se inclina e pressiona a testa contra minha têmpora, e meus joelhos travam. Seus lábios estão bem acima de minha orelha quando fala:

— Depressa, por favor.

Eu me desvencilho dele e disparo até o banheiro. Abro a gaveta e pego minha escova e pasta de dente, como se estivesse em uma corrida contra o relógio. Minhas mãos tremem enquanto espremo a pasta na escova. Abro a torneira e começo a escovar os dentes furiosamente. Estou escovando a língua quando olho no espelho e vejo Graham entrar no banheiro atrás de mim. Rio com quão ridícula é aquela situação.

Não tinha beijado um cara em seis meses. Agora estou escovando os dentes para me livrar dos germes de um enquanto o outro espera na fila.

Graham parece se divertir com o absurdo do momento tanto quanto eu. Agora, está recostado na pia ao meu lado, assistindo enquanto cuspo pasta de dente na cuba. Lavo minha escova e então a deixo de lado, pegando um copo de vidro vazio. Eu o encho com água, tomo um gole, bochechando até ter certeza de que minha boca está o mais limpa possível. Cuspo a água e tomo outro gole. Dessa vez, no entanto, apenas engulo, porque Graham pega o copo de minha mão e o pousa na pia. Ele tira o chiclete da boca, jogando-o na lata de lixo, então usa a outra mão para segurar minha cabeça e nem mesmo pergunta se já estou pronta. Aproxima a boca da minha, seguro e impaciente, como se os últimos sessenta segundos de preparação tivessem sido pura tortura. No momento que nossos lábios se tocam, é como se uma brasa, queimando devagar por seis longos meses, finalmente explodisse em chamas.

Ele sequer se dá o trabalho de começar com um beijo lento, preliminar. Sua língua invade minha boca, como se tivesse entrado ali muitas vezes e soubesse exatamente o que fazer. Ele me gira até minhas costas encontrarem a pia, então me levanta, me senta no balcão do banheiro e se encaixa entre minhas pernas, segurando minha bunda com as duas mãos e me pressionando contra ele. Eu o abraço, envolvendo-o com as pernas. Tento me convencer de que não passei a vida toda ignorante de que esse tipo de beijo existia.

O modo como seus lábios se movem põe em dúvida as habilidades de todo cara que veio antes de Graham.

Ele começa a aliviar a pressão, e me pego puxando-o para mim, não querendo que pare. Mas ele o faz. Lentamente. Então me dá um beijo no canto da boca antes de se afastar.

— Uau! — murmuro. Abro os olhos, e ele está me encarando. Mas não olha para mim com o mesmo fascínio que eu. Seu rosto exibe uma nítida expressão de abatimento.

Graham balança a cabeça devagar, os olhos se estreitando.

— Não acredito que você nunca me ligou. Podíamos estar nos beijando assim há meses.

O comentário me abala. Tanto que me atrapalho com as palavras quanto tento retrucar.

— Eu só... Acho que imaginei que ficar perto de você me faria lembrar de Ethan. De tudo o que aconteceu naquela noite.

Ele assente, como se entendesse.

— Quantas vezes você pensou em Ethan desde que me viu hoje, no restaurante?

— Uma — respondo. — Nesse momento.

— Bom. Porque eu não sou Ethan. — Ele me pega no colo e me leva até a cama. Então me deita e se afasta, tirando a camisa. Não tenho certeza se alguma vez toquei uma pele tão macia, firme, bonita e bronzeada. Graham sem camisa é quase perfeito.

— Gosto de seu... — Aponto para seu peito e faço um movimento circular com o dedo. — Seu corpo. É muito bonito.

Graham ri, pressionando um dos joelhos no colchão. Ele deita ao meu lado.

— Obrigado. Mas você não pode ter esse corpo agora. — Ele ajeita o travesseiro sob a cabeça, ficando à vontade.

Eu me apoio no cotovelo e franzo as sobrancelhas.

— Por que não?

— Por que a pressa? Vou passar a noite toda aqui.

Ele só pode estar brincando. Ainda mais depois daquele beijo.

— E o que devemos fazer enquanto esperamos? *Conversar?*

Ele ri.

— Desse jeito parece que conversar comigo é a pior ideia do mundo.

— Se conversarmos demais antes do sexo, talvez eu descubra coisas ruins sobre você. E aí o sexo não vai ser tão divertido.

Ele estende a mão e coloca meu cabelo atrás da orelha com um sorriso.

— Ou... você pode descobrir que somos almas gêmeas e o sexo será espetacular.

Ele tem certa razão.

Deito de bruços antes de cruzar os braços sobre o travesseiro e pousar a cabeça ali.

— Melhor começarmos a falar então. Você primeiro.

Graham desliza a mão por meu braço e delineia a cicatriz em meu cotovelo.

— Como arranjou essa cicatriz?

— Eu tinha 14 anos, e minha irmã mais velha e eu estávamos correndo pela casa. Não percebi que a porta de vidro estava fechada e bati direto nela. O vidro estilhaçou, e me cortei em, tipo, uns dez lugares diferentes. Mas essa foi a única cicatriz que ficou.

— Que droga.

— Você tem alguma cicatriz?

Graham se ergue um pouco e aponta para um ponto em sua clavícula, onde há uma cicatriz de uns dez centímetros, que deve ter sido um machucado bem feio.

— Acidente de carro. — Ele se aproxima e coloca a perna em cima das minhas. — Qual seu filme favorito?

— Qualquer um dos irmãos Cohen. Meu predileto é *E aí, meu irmão, cadê você?*

Pela sua expressão, parece que não faz ideia de que filme estou falando. Mas então ele diz:

— Nós pensamos que você... fosse um sapo.

— Droga! Mas que enrascada!

— Jesus poupa, mas George Nelson saca.

Estamos os dois rindo agora. Meu riso morre em um suspiro, e então Graham sorri com apreciação.

— Viu? Gostamos do mesmo filme. O sexo vai ser incrível.

Sorrio.

— Próxima pergunta — peço.

— Cite algo que odeia.

— Infidelidade e a maioria dos vegetais.

Graham ri.

— Você vive de nuggets e batata frita?

— Amo frutas. E tomate. Mas não sou fã de nada verde. Já tentei gostar de vegetais, mas ano passado decidi, enfim, aceitar que detesto e adicionar os nutrientes em minha dieta de outra maneira.

— Você gosta de malhar?

— Apenas em emergências — admito. — Gosto de atividades ao ar livre, mas não se forem exercícios tradicionais.

— Gosto de correr — diz ele. — Clareia as ideias. E amo qualquer vegetal, *exceto* tomate.

— Epa! Isso não é nada bom, Graham.

— Não, é perfeito. Você come meus tomates, eu como todos os outros vegetais de seu prato. Nenhum desperdício. Somos o par perfeito.

Gosto de seu jeito de pensar.

— O que mais? Filmes e comida são só o começo.

— Podemos falar de política e religião, mas melhor deixar esses tópicos para quando já estivermos apaixonados.

Ele fala com tanta confiança, mas também como se brincasse. De qualquer forma, concordo que devemos evitar política e religião. Esses assuntos costumam acabar em discussão mesmo quando as pessoas têm a mesma opinião.

— Definitivamente concordo em não falar das duas coisas.

Graham segura meu punho e o puxa de baixo de minha cabeça. Entrelaça os dedos aos meus e pousa nossas mãos entre nós. Tento não pensar muito no quanto acho o gesto fofo.

— Qual seu feriado favorito? — pergunta ele.

— Todos. Mas tenho uma queda pelo Halloween.

— Não esperava essa resposta. Gosta do Halloween por causa das fantasias ou dos doces?

— Os dois, mas principalmente pelas fantasias. Amo me montar.

— Qual a melhor fantasia que já usou?

Penso no assunto por um momento.

— Provavelmente quando meus amigos e eu nos vestimos de Milli Vanilli. Dois de nós falávamos a noite toda, enquanto os outros dois ficavam parados na nossa frente, dublando tudo o que era dito.

Graham rola de costas e ri.

— Que genial! — diz ele, olhando para o teto.

— Você se fantasia no Halloween?

— Não tenho nada contra, mas nunca me fantasiei quando namorava Sasha, porque ela sempre escolhia algo comum e vulgar. Uma animadora de torcida vulgar. Uma enfermeira vulgar. Uma puritana vulgar. — Ele hesita por um segundo. — Não me entenda mal. Amo uma fantasia vulgar. Não tem nada de errado em uma mulher mostrar seus atributos, se é o que ela quer fazer. É só que Sasha nunca me pediu para me fantasiar. Acho que, na verdade, ela queria toda a atenção, não a coisa da fantasia de casal.

— Que saco. Tantas chances desperdiçadas.

— Não é? Eu podia ter me vestido de quarterback vulgar.

— Bem, se ainda estivermos nos falando quando o Halloween chegar, podemos combinar fantasias vulgares.

— Se *ainda* estivermos nos falando? Quinn, Halloween é daqui a dois meses. Vamos estar quase morando juntos até lá.

Reviro os olhos.

— Você é muito confiante.

— Pode chamar assim.

— A maioria dos homens pressiona para fazer sexo logo. Mas você me dispensa uma noite e aparece seis meses depois, só para me dar um toco outra vez e me forçar a conversar. Não sei se devo me preocupar.

Graham ergue uma sobrancelha.

— Não quero que tenha uma imagem errada de mim. Sou super a favor de sexo no primeiro encontro, mas você e eu temos uma eternidade para isso.

Sei que está brincando pelo modo como tenta manter a expressão neutra. Eu me desencosto do travesseiro e levanto a sobrancelha.

— Não tenho nada contra sexo. Compromisso eterno é que pega.

Graham passa o braço sob mim e me aperta contra si, fazendo minha cabeça repousar em seu peito.

— Você que manda, Quinn. Se preferir que a gente finja que não somos almas gêmeas por mais alguns meses, por mim tudo bem. Sou um ótimo ator.

Rio de seu sarcasmo.

— Almas gêmeas não existem.

— Eu sei — retruca ele. — Não somos almas gêmeas. Almas gêmeas são idiotas.

— Estou falando sério.

— Eu também. Muito sério.

— Você é um palhaço.

Ele encosta os lábios em meu cabelo, beijando o topo de minha cabeça.

— Que dia é hoje?

Ele é tão aleatório. Levanto a cabeça e o encaro.

— Oito de agosto. Por quê?

— Só quero que nunca se esqueça do dia em que o universo conspirou para nos reunir outra vez.

Pouso a cabeça em seu peito de novo.

— Você está pressionando demais. Vai acabar me assustando.

Seu peito se move com o riso silencioso.

— Não, não vou. Vai ver só. Daqui a dez anos, no dia oito de agosto, vou me revirar em nossa cama à meia-noite e sussurrar: "Eu avisei".

— Você é tão convencido assim?

— Muito.

Eu rio. Rio um bocado enquanto conversamos. Não sei quanto tempo ficamos na mesma posição, conversando, mas ainda tenho um milhão de perguntas quando começo a bocejar. Luto contra o sono, porque falar com ele é ainda mais relaxante que dormir, e quero lhe perguntar coisas a noite toda.

Eventualmente, Graham vai até a cozinha para pegar um copo de água. Quando volta ao quarto, apaga a luz e deita na cama às minhas costas, de conchinha. Sinceramente, não é o que eu esperava desta noite. Não depois do modo como me abordou no restaurante, e, então, apareceu em meu apartamento. Pensei que ele tivesse uma só coisa em mente.

Não podia estar mais enganada.

Envolvo seus braços com os meus e fecho os olhos.

— Achei que a história de não transar fosse brincadeira — sussurro.

Eu o sinto rir brevemente.

— Ficar de calça fechada não é tão fácil quanto parece. — Ele se esfrega em minha bunda para reforçar seu argumento. Posso senti-lo duro contra o jeans.

— Isso deve doer — provoco. — Tem certeza de que não quer mudar de ideia?

Ele me aperta mais, beijando um ponto perto de minha orelha.

— Nunca estive tão confortável.

As palavras me fazem enrubescer no escuro, mas não respondo. Não tenho uma resposta boa o bastante. Fico quieta por vários minutos até que ouço sua respiração se acalmar em um padrão regular. Logo antes de eu adormecer, Graham sussurra em meu ouvido:

— Achei que nunca mais veria você.

Sorrio.

— Ainda posso sumir.

— Não suma.

Tento dizer: "Não vou sumir", mas ele coloca a mão entre meu rosto e a almofada e faz com que eu vire a cabeça até sua boca alcançar a minha. Um beijo na medida certa. Não muito breve, mas não tão longo que pudesse levar a algo mais. É o beijo perfeito para o momento perfeito.

Capítulo dez

Agora

— Mais dois batons — avisa Gwenn. Ela desliza o batom muito vermelho sobre meu lábio superior, mas sai tanto da linha que o sinto tocar o nariz.

— Você é muito boa nisso — elogio, rindo.

Estamos na casa dos pais de Graham para um jantar em família. Graham está no chão, brincando com Adeline, a filha de 5 anos de sua irmã Caroline. Gwenn, com 3 anos, está no sofá, me maquiando. Os pais dele estão na cozinha, preparando a comida.

É assim que passamos a maioria dos domingos. Sempre gostei desses domingos, mas, ultimamente, eles se tornaram meus dias favoritos no mês. Não sei por que as coisas são mais fáceis aqui, comigo cercada pela família de Graham, mas são. É mais fácil sorrir. É mais fácil parecer feliz. É mais fácil até mesmo deixar Graham me amar.

Percebi que há uma diferença no modo como o trato em público e como o trato em nossa casa. Em casa, quando estamos somente os dois, sou mais reservada. Evito seu toque e seu beijo porque, no passado, essas coisas sempre acabavam em sexo. E agora tenho tanto medo de sexo, que também temo as coisas que levam a ele.

Mas, quando estamos assim, quando sua afeição não leva a nada, anseio por isso. Gosto quando me toca. Quando me beija. Amo me aconchegar a ele no sofá. Não sei se nota a diferença em meu comportamento. Se sim, não deixa transparecer.

— Terminei — anuncia Gwenn. Ela se atrapalha tampando o batom que acabou de passar em meus lábios. Eu o pego de sua mão e a ajudo a fechá-lo.

Graham me encara do chão.

— Cacete, Quinn! Quer dizer... caramba.

Sorrio para Gwenn.

— Você me deixou bonita?

Ela começa a dar risadinhas.

Vou até o banheiro e rio quando me vejo no espelho. Estou convencida de que inventaram a sombra azul apenas para esse propósito. Para que crianças de 3 anos as usem em adultos.

Estou lavando o rosto quando Graham entra no banheiro. Ele me observa no espelho e faz uma careta.

— O quê? Não gostou?

Ele beija meu ombro.

— Você está linda, Quinn. Sempre.

Termino de limpar o rosto, mas os lábios de Graham não abandonam meu ombro. Ele deixa um rastro de pequenos beijos em meu pescoço. Saber que aquele beijo não vai levar a *sexoesperançaangústia* me faz aproveitá-lo mais que se estivesse acontecendo no banheiro de nossa casa.

Isso é tão perturbador. Não entendo como as ações de Graham podem me despertar diferentes reações, dependendo do contexto. Mas, no momento, não vou questionar nada, porque ele parece não questionar nada. Parece estar aproveitando.

Ele continua atrás de mim, me pressionando contra a pia enquanto sua mão passeia por meu quadril e alcança a frente de minha coxa. Seguro a pia e o observo pelo espelho. Graham ergue os olhos e encara meu reflexo enquanto segura a barra do vestido e vai subindo os dedos por minhas coxas.

Faz um mês e meio desde a última vez que tomou a iniciativa. Nosso maior hiato. Sei, pelo modo como as coisas terminaram em nossa última transa, que estava aguardando que eu começasse as coisas. Mas não o fiz.

Já passou tanto tempo desde que me tocou que minha reação parece intensificada.

Fecho os olhos quando sua mão invade minha calcinha. Estou arrepiada dos pés à cabeça, e saber que aquilo não pode ir muito longe me faz querer Graham, sua boca e suas mãos por todo o meu corpo.

A porta está aberta, e alguém pode cruzar o corredor a qualquer momento, mas isso apenas corrobora a ideia de que a sessão de amasso vai acabar em um segundo. Motivo pelo qual minha mente me permite aproveitar o momento ao máximo.

Ele me invade com um dedo e desliza o polegar em meu centro, e é o prazer mais intenso que seu toque me proporcionou em mais de um ano. Minha cabeça pende para trás, encostando em seu ombro, e ele guia minha boca em direção à sua. Gemo no instante em que seus lábios cobrem os meus. Graham me beija com fome e impaciência, como se estivesse desesperado para extrair o máximo possível do momento antes que eu o afaste.

E continua me beijando com urgência por todo o tempo que me toca. Me beija até que eu goze, e, enquanto soluço e tremo em seus braços, ainda não para de me beijar e de me tocar antes que o momento passe completamente.

Sem pressa, tira a mão da calcinha, mergulhando a língua em minha boca uma vez mais. Então se afasta, e agarro a pia a minha frente, respirando com dificuldade. Ele beija meu ombro, sorrindo ao sair do banheiro, rindo como se tivesse acabado de conquistar o mundo.

Levo vários minutos para me recompor. Eu me certifico de que meu rosto não está mais ruborizado antes de voltar à sala de estar. Graham está deitado no sofá, assistindo à televisão. Abre espaço para mim, me puxando para perto. De vez em quando, me beija ou eu o beijo, e tudo parece igual a antes. E finjo que está tudo bem. Finjo que qualquer outro dia da semana é como os domingos na casa dos pais de Graham. É como se todo o restante desaparecesse quando estamos aqui, e somos somente eu e Graham sem sombra de fracasso.

Depois do jantar, Graham e eu nos oferecemos para lavar a louça. Ele liga o rádio, e nos encostamos à pia juntos. Eu lavo, ele seca. Ele fala do trabalho, eu escuto. Quando começa a tocar uma música do Ed Sheeran, minhas mãos estão cobertas de espuma, mas Graham me puxa para perto mesmo assim e começa a dançar comigo. Nós nos agarramos um ao outro e mal nos movemos enquanto dançamos, seus braços ao redor de minha cintura, os meus em volta de seu pescoço. Sua testa está colada à minha, e, embora saiba que ele está me observando, mantenho os olhos fechados e finjo que somos perfeitos. Dançamos sozinhos até que a música chegue ao fim, mas Caroline entra na cozinha e nos flagra.

Seu terceiro filho deve nascer em poucas semanas. Ela segura um prato de papelão com uma das mãos, e a outra repousa na lombar. Revira os olhos com a cena.

— Nem posso imaginar como vocês são quando estão sozinhos se parecem um polvo em público. — Ela joga o prato na lata de lixo e se dirige para a sala. — Devem ser o típico casal irritante, que transa duas vezes ao dia.

Quando a porta da cozinha se fecha, ficamos sozinhos, a música acaba, e Graham me encara. Sei que o comentário de sua irmã o fez refletir sobre meus sentimentos. Sinto que ele quer me perguntar por que amo tanto seu toque em público, mas o rechaço em privado.

Mas ele não toca no assunto e me dá uma toalha para secar as mãos.

— Está pronta para irmos embora?

Assinto com a cabeça, mas também percebo que está prestes a começar... A tensão crescente na boca do estômago. A preocupação de que ser carinhosa com ele na casa de sua mãe o faça acreditar que quero sua atenção em casa.

Eu me sinto a pior esposa do mundo. Não faço isso por falta de amor. Mas talvez, se houvesse alguma forma de demonstrar melhor meu amor, eu não o faria.

Mesmo sabendo como sou injusta, isso não me impede de mentir para ele no caminho de casa.

— Acho que estou começando a ter uma enxaqueca — digo, encostando a testa no vidro da janela do lado do passageiro de nosso carro.

Quando entramos em casa, Graham me diz para deitar e descansar um pouco. Cinco minutos depois, ele me traz um copo de água e uma aspirina. Desliga a luz e sai do quarto, e choro porque odeio no que transformei esse casamento.

O coração de meu marido é minha salvação, mas seu toque se tornou um inimigo.

Capítulo onze

Antes

Posso sentir o calor de seu corpo junto ao meu. Fico feliz que ele continue aqui mesmo com o sol já tendo nascido.

Sinto Graham se mexer antes de abrir os olhos. Sua mão busca a minha embaixo do travesseiro, e ele entrelaça nossos dedos.

— Bom dia.

Quando abro os olhos, estou sorrindo. Ele levanta o outro braço e acaricia meu rosto com o polegar.

— O que eu perdi enquanto você dormia? Você sonhou?

Acho que aquela foi a coisa mais doce que alguém já me disse. Não sei se isso é bom ou ruim.

— Tive um sonho estranho. Você estava nele.

Ele se ergue, soltando minha mão e se apoiando no cotovelo.

— Sério? Me conte.

— Sonhei que você aparecia aqui, vestido dos pés à cabeça como um mergulhador. Então você me pedia para vestir meu traje de mergulho porque íamos nadar com tubarões. Eu disse que tinha medo de tubarão, e você falou: "Mas, Quinn, aqueles tubarões são, na verdade, gatos!" E depois eu falei: "Mas eu tenho medo do oceano". E você retrucou: "Mas, Quinn, esse oceano é, na realidade, um parque."

Graham ri.

— O que aconteceu depois?

— Vesti meu traje de mergulho, óbvio! Mas você não me levou ao oceano nem ao parque. Me levou para encontrar sua mãe. E fiquei tão constrangida e tão zangada com você porque eu estava vestindo um traje de mergulho à mesa de jantar de minha sogra.

Graham rolou de costas, gargalhando.

— Quinn, esse é o melhor sonho da história dos sonhos.

Sua reação me faz querer lhe contar todos os sonhos que eu tiver pelo resto da vida.

Fico feliz quando se aproxima de mim e me olha como se não houvesse outro lugar onde preferisse estar. Ele se inclina para a frente e cola a boca na minha. Quero ficar na cama com ele o dia todo, mas Graham se afasta e diz:

— Estou com fome. Tem alguma coisa para comer?

Assinto, mas, antes que possa sair da cama, eu o puxo de volta e dou um beijo em seu rosto.

— Gosto de você, Graham. — Eu me desvencilho dele e vou para o banheiro.

Ele grita atrás de mim.

— Lógico que você gosta de mim, Quinn. Sou sua alma gêmea.

Eu rio ao fechar a porta do banheiro. Então quero morrer quando me olho no espelho. Puta merda. Tenho rímel borrado por todo o rosto; uma espinha apareceu na testa da noite para o dia. O cabelo está uma bagunça, mas não daquele jeito sexy, sedutor. Está uma zona. Como se um rato tivesse feito seu ninho ali durante a noite.

Gemo e depois berro:

— Vou tomar um banho!

— Estou procurando comida! — grita Graham da cozinha.

Duvido que ache alguma. Não guardo muita coisa na despensa, porque raramente cozinho, já que moro sozinha.

Entro debaixo do chuveiro. Não faço a mínima ideia se ele vai ficar por aqui depois do café, mas, enquanto tomo banho, dedico especial atenção a certas áreas apenas por desencargo de consciência.

Estou debaixo do chuveiro há três minutos quando escuto a porta do banheiro abrir.

— Não tem nada para comer.

O som de sua voz em meu banheiro me assusta tanto que quase escorrego e caio. Seguro a barra do boxe e me endireito, mas logo largo a barra para cobrir meus seios quando vejo a cortina do boxe se mover.

Graham enfia a cabeça dentro do boxe. Ele olha direto para meu rosto, e para nenhum outro lugar, mas continuo a tentar de tudo para me esconder.

— Não tem nada de comer aqui. Só uns biscoitos e uma caixa de cereal fora da validade. — Ele diz isso como se não fosse nada incomum me ver nua. — Quer que eu vá comprar alguma coisa?

— Hmm... Ok. — Meus olhos estão arregalados. Ainda me sinto chocada com sua invasão confiante.

Graham sorri, mordendo o lábio inferior. Seus olhos começam a percorrer meu corpo com lentidão.

— Meu Deus, Quinn — sussurra. Ele fecha a cortina do boxe e diz: — Volto num minuto. — Antes de deixar o banheiro, eu o ouço murmurar: — Merda.

Não posso evitar um sorriso. Amo como ele faz eu me sentir.

Dou meia-volta e encaro o jato de água de olhos fechados enquanto deixo a água quente castigar meu rosto. Não consigo decifrar Graham. Ele tem a dose certa de confiança e arrogância.

Mas equilibra isso com um lado irreverente. É engraçado, inteligente e muito intenso, mas parece genuíno.

Genuíno.

Se tivesse de descrevê-lo em uma só palavra, seria essa.

O que me surpreende, porque nunca pensei isso de Ethan. Sempre houve uma parte de mim que achava sua aparente perfeição uma mera atuação. Como se ele tivesse aprendido a dizer todas as coisas certas, mas não fosse algo inerente. Era como se ensaiasse a versão de si mesmo que apresentava a todo mundo.

Mas, com Graham, tenho a impressão de que ele é quem tem sido a vida toda.

Eu me pergunto se vou aprender a confiar nele. Depois do que passei com Ethan, fiquei com a impressão de que isso nunca iria acontecer.

Quando termino o banho, eu me seco e visto uma camiseta e uma calça de ioga. Não faço ideia se Graham tem alguma intenção de passar o dia por aqui, mas, até descobrir, vou optar pelo conforto.

Quando volto para o quarto, pego o celular na mesinha de cabeceira e noto várias mensagens.

Salvei meu contato em seu telefone. É Graham. Sua alma gêmea.
O que você quer comer?
McDonald's? Starbucks? Donuts?
Ainda está tomando banho?
Você gosta de café?
Não consigo parar de pensar em você no banho.
Ok, então. Vou comprar bagels.

Estou no quarto, guardando a roupa lavada, quando ouço Graham abrir a porta da frente. Vou até a sala, e ele está arrumando a mesa do café. Com *muito* café.

— Você não especificou o que queria, então eu trouxe tudo.

Meus olhos assimilam a caixa de donuts, a embalagem do McDonald's, e a do Chick-fil-A. Ele até trouxe bagels. E algo da Starbucks.

— Está tentando recriar a cena do café da manhã de *Uma linda mulher*, quando Richard Gere pede todo o cardápio? — Sorrio e me sento à mesa.

Ele franze o cenho.

— Quer dizer que isso já foi feito antes?

Dou uma mordida em um donut açucarado.

— Sim. Você vai precisar ser mais original se quiser me impressionar.

Ele se senta a minha frente e tira a tampa de um copo da Starbucks. Lambe o creme.

— Acho que vou ter que cancelar a limusine branca que deveria estacionar perto da saída de incêndio hoje de tarde.

Dou uma risada.

— Obrigada pelo café.

Ele se recosta na cadeira, recolocando a tampa no copo.

— Quais são seus planos para hoje?

Dou de ombros.

— É sábado. Estou de folga.

— Não sei nem o que você faz da vida.

— Sou redatora de uma firma de publicidade no centro. Nada extraordinário.

— Nada em relação a você é ordinário, Quinn.

Ignoro o elogio.

— E você?

— Nada extraordinário. Sou contador de uma firma no centro.

— Um cara de exatas, é?

— Minha primeira opção era ser astronauta, mas a ideia de deixar a atmosfera da Terra é meio aterrorizante. Números não são exatamente uma ameaça a minha vida, então acabei preferindo isso. — Ele abre uma das embalagens e pega um biscoito. — Acho que devemos transar hoje. — Ele morde o biscoito. — A noite toda — acrescenta de boca cheia.

Quase engasgo com o pedaço que acabei de engolir. Pego o café que ele trouxe para mim e tomo um gole.

— Você acha, é? O que mudou de ontem para hoje?

Ele quebra um pedaço do biscoito e o joga na boca.

— Ontem, eu estava sendo educado.

— Então suas boas maneiras são apenas fachada?

— Não, sou um cara decente. Mas também me sinto muito atraído por você e quero ver você nua outra vez. — Ele sorri para mim. É um sorriso tímido e tão fofo que *me* faz sorrir.

— Alguns homens são traídos e se tornam vingativos. Você foi traído e acabou brutalmente honesto.

Ele ri, mas não fala mais nada sobre a possibilidade de transarmos hoje. Comemos em silêncio por um minuto, então ele pergunta:

— O que você fez com seu anel de noivado?

— Eu mandei para a mãe de Ethan.

— E o que fez com o meu?

Um sorriso discreto cruza meus lábios.

— Fiquei com ele. Às vezes até uso. É bonito.

— Quer saber com o que eu fiquei? — indaga ele, depois de me observar por um momento.

Assinto com a cabeça.

— Com nossas sortes.

Leva um tempo para eu me dar conta do que ele está falando.

— Da comida chinesa e da traição?

— Isso.
— Você ficou com aquilo?
— Com certeza.
— Por quê?
— Porque sim. — Ele baixa o olhar para o café e balança o copo em pequenos círculos. — Se visse o que tem na parte de trás, não estaria me perguntando isso.

Eu me inclino na cadeira e o encaro com desconfiança. Ethan e eu abríamos aqueles biscoitos da sorte o tempo todo. Sei exatamente o que tem na parte de trás das tiras de papel, porque sempre achei esquisito. A maioria das sortes traz uma sequência numérica, mas aquele restaurante coloca apenas um número nas deles.

— Só tem um número na parte de trás daquelas sortes.
— Isso mesmo. — Ele tem um brilho malicioso nos olhos.

Inclino a cabeça.

— O quê? Eles tinham o mesmo número ou algo assim?

Ele me encara, sério.

— O número oito.

Sustento seu olhar e fico refletindo por alguns segundos. Na noite passada, ele me perguntou sobre a data. Oito de agosto.

8/8.

O dia em que nos reencontramos.

— Está falando sério?

Graham continua sério por um instante, mas então relaxa e solta uma gargalhada.

— Estou brincando. A sua tinha um sete na parte de trás, e a minha, um cinco ou coisa assim. — Ele se levanta e leva o lixo para a cozinha. — Fiquei com elas porque sou neurótico por limpeza e não quis sujar o piso do corredor. Esqueci que estavam em meu bolso até chegar em casa naquela noite.

Fico me perguntando o quanto disso é verdade.

— Mas você guardou mesmo até hoje?

Ele pisa no pedal da lixeira, e a tampa abre.

— Guardei. — Graham caminha de volta para a mesa e me levanta da cadeira. Envolve minha cintura com os braços e me beija. É um beijo doce, com sabor de caramelo e açúcar. Sua boca segue até minha bochecha, e ele me beija ali, então me puxa contra o peito. — Você sabe que eu só estava brincando, não é? Não acredito de verdade que vamos passar o resto de nossas vidas juntos. *Por enquanto.*

Meio que gosto da provocação. Muito. Abro a boca para responder, mas o telefone dele toca. Graham levanta um dedo e tira o celular do bolso, então atende de pronto.

— Oi, gata. — Então cobre a base do aparelho e sussurra: — É minha mãe. Não surte.

Dou uma risada e o deixo à vontade enquanto começo a arrumar a mesa. Não creio que tudo aquilo que ele comprou vá caber em minha geladeira.

— Não muito — diz Graham. — Papai está jogando golfe? — Eu o observo conversar com a mãe. Ele age com tanta naturalidade. Quando converso com minha mãe, fico tensa e no limite, revirando os olhos durante todo o bate-papo. — Sim, topo o jantar. Posso levar alguém? — Ele cobre o telefone e olha para mim. — Prepare seu traje de mergulho, Quinn.

Não sei se rio da piada ou se começo a surtar. Ainda nem sei o sobrenome dele. Não quero conhecer seus pais. Apenas articulo um "não" com firmeza.

Ele pisca para mim.

— O nome dela é Quinn — ele responde a pergunta da mãe enquanto me observa. — Sim, é bem sério. Estamos saindo já faz um tempo.

Reviro os olhos para suas mentiras. Ele é incorrigível.

— Espere um minuto, vou perguntar a ela. — Dessa vez, ele não tampa o celular. Na verdade, berra mais alto que o necessário, já que estamos separados por poucos passos. — Gata! Você prefere torta ou bolo de frutas para sobremesa?

Eu me aproximo para que ele possa ouvir a seriedade em meu tom.

— Ainda nem tivemos um *encontro* oficial — sussurro. — Não quero conhecer sua mãe, Graham.

Ele cobre o telefone dessa vez e gesticula para a mesa.

— Acabamos de ter cinco encontros — murmura. — Chick-fil-A, McDonald's, donuts, Starbucks... — Graham volta a encostar o telefone na orelha. — Ela prefere torta. Nos vemos por volta das seis? — Uma pausa, então. — Ok. Também amo você.

Ele encerra a ligação e coloca o telefone no bolso. Estou encarando-o, séria, mas não dura muito, pois ele se aproxima e me faz cócegas até que eu ria. Então me pressiona contra ele.

— Não se preocupe, Quinn. Quando provar o tempero dela, nunca mais vai querer ir embora.

Suspiro profundamente.

— Você não é nada como eu esperava.

Ele beija o topo de minha cabeça.

— Isso é bom ou ruim?

— Não faço a menor ideia.

Capítulo doze

Agora

Quando paro na rua de Caroline, vejo o carro de Graham estacionado na garagem. Mas parece que, fora sua irmã e o marido, somos os únicos aqui. Eu me sinto aliviada.

Caroline teve o filho ontem de manhã. Um parto em casa. Na verdade, é o primeiro menino na família de Graham desde o nascimento dele.

Carolina é a única irmã de Graham que vive em Connecticut. Tabitha mora em Chicago com a esposa. Ainsley é advogada e está sempre se mudando. Ela viaja quase tanto quanto Ava e Reid. Às vezes sinto um pouco de inveja de seu estilo de vida despreocupado, mas sempre tive outras prioridades.

Graham e eu somos bem presentes na vida das duas filhas de Caroline. Além do tempo que passamos com elas aos domingos, de vez em quando levamos as duas a passeios ou ao cinema para dar algum tempo livre a Caroline e seu marido. Suspeito que, com a chegada do filho, vamos passar ainda mais tempo com as meninas.

Adoro ver Graham com elas. Ele é brincalhão e ama fazê-las rir. Mas também está sempre preocupado com o bem-estar físico e mental das duas. Responde a todo "Mas por quê?" com paciência e honestidade. E, embora ainda sejam crianças, ele as trata como iguais. Caroline brinca que, toda vez que saem com a gente, elas começam cada frase com: "Mas o tio Graham disse..."

Amo tanto o relacionamento que ele tem com as sobrinhas, e vê-lo com o pequeno bebê me deixa ainda mais emocionada em testemunhar seu papel de tio. Ocasionalmente, em momentos como esse, me deixo levar e imagino o excelente pai que seria, mas me recuso a deixar nossa situação deprimente manchar sua experiência com a família. Então visto minha máscara de felicidade e me certifico de nunca permitir um vislumbre de tristeza.

Ensaio o sorriso no retrovisor. Sorrir costumava ser natural para mim, mas, hoje em dia, quase todo sorriso em meu rosto é falso.

Quando chego à porta da frente, não sei se toco a campainha ou apenas entro. Se o bebê ou Caroline estiverem dormindo, vou me sentir péssima em acordar alguém. Empurro a porta, e a entrada da casa está silenciosa. Ninguém está sentado na sala de visitas, embora haja embrulhos ainda fechados enfileirados no sofá. Atravesso a sala e deixo meu presente e de Graham na mesinha perto do sofá.

Caminho em direção a uma cozinha silenciosa, e então ao refúgio onde Caroline e a família passam a maior parte do tempo. É uma expansão, adicionada à construção logo depois do nascimento de Gwenn. Metade do cômodo é usado como sala de estar; a outra metade, como uma sala de jogos para as meninas.

Estou quase lá, mas paro à porta assim que vejo Graham. Ele está de costas para mim, perto do sofá, segurando seu novo sobrinho, embalando nos braços o recém-nascido embrulhado em um cobertor. Suponho que, se nossa situação fosse diferente, esse seria um momento de pura adoração por meu marido: observá-lo ninar o sobrinho bebê. Em vez disso, sinto uma dor por dentro. Me pergunto em que ele está pensando neste instante. Será que uma pequena parte de Graham se ressente por eu não ter sido capaz de lhe proporcionar um momento assim?

Ninguém pode me ver parada ali, já que Graham está de costas para mim e estou fora da linha de visão de sua irmã, provavelmente sentada no sofá. Ouço sua voz quando diz:

— Você nasceu para isso.

Observo a reação de Graham a suas palavras, mas ele não demonstra nenhuma. Apenas continua a olhar para o sobrinho.

Em seguida Caroline fala algo que me faz segurar a parede a minhas costas.

— Você seria um ótimo pai, Graham. — As palavras cruzam o ar e me atingem na outra sala.

Tenho certeza de que ela nunca diria isso se soubesse que eu podia ouvi-la. Espero a resposta de Graham, curiosa se ele sequer tem uma.

Ele tem.

— Eu sei — retruca em voz baixa, olhando para Caroline. — Fico arrasado que ainda não tenha acontecido.

Levo a mão à boca, porque tenho medo do que pode acontecer caso não o faça. Talvez soluce ou chore ou vomite.

Estou no carro agora.

Dirigindo.

Não pude encará-lo depois daquilo. Aquelas poucas frases confirmaram todos os meus medos. Por que Caroline tocou no assunto? Por que ele respondeu com tamanha franqueza, mas jamais *me* disse a verdade sobre seus sentimentos?

Foi a primeira vez que me senti como se desapontasse sua família. O que as irmãs falam para ele? O que a mãe diz? Será que o desejo de que ele tenha filhos é maior do que a torcida para que continue casado comigo?

Nunca analisei o assunto por essa perspectiva. Não gosto de como esses pensamentos fazem eu me sentir. Me sinto envergonhada. Como se, talvez, eu não esteja apenas impedindo Graham de ter um filho, mas também privando sua família de amar uma criança que Graham seria perfeitamente capaz de gerar se não fosse por mim.

Paro o carro em uma vaga para me recompor. Seco as lágrimas e digo a mim mesma para esquecer o que ouvi. Pego o celular na bolsa para enviar uma mensagem a Graham.

O trânsito está péssimo. Diga a Caroline que só vou conseguir dar uma passada lá amanhã.

Aperto enviar e me reclino no banco, tentando com afinco apagar aquela conversa da memória, mas a revivo repetidas vezes.

Você seria um ótimo pai, Graham.

Eu sei. Fico arrasado que ainda não tenha acontecido.

* * *

Duas horas depois, estou parada em frente à geladeira quando Graham finalmente volta da casa de Caroline. Quando estou estressada, costumo limpar a geladeira, e foi exatamente o que fiz na última meia hora. Ele coloca suas coisas no balcão da cozinha. As chaves, a maleta, uma garrafa de água. Caminha até mim e se inclina, me dando um beijo no rosto. Forço um sorriso e, quando o faço, percebo que aquele é o sorriso mais difícil que já precisei fingir.

— Como foi a visita? — pergunto a ele.

Ele estende a mão para dentro da geladeira, desviando-se de mim.

— Boa. — Ele pega um refrigerante. — O bebê é fofo.

Parece tão descontraído, como se hoje não tivesse admitido, em voz alta, que se sente arrasado por não ser pai.

— Você chegou a segurar o bebê?

— Não. Ele estava dormindo.

Lanço um olhar para ele. *Por que ele acabou de mentir para mim?*

É como se as paredes internas de meu peito se incendiassem enquanto tento manter as emoções sob controle, mas não posso ignorar a declaração de que se sente arrasado porque ainda não é pai. *Por que ele continua aqui?*

Fecho a porta da geladeira, embora não tenha limpado as prateleiras laterais. Preciso sair da cozinha. Sinto muita culpa quando olho para ele.

— Vou trabalhar até tarde hoje à noite. Tenho muito trabalho atrasado. O jantar está no micro-ondas se estiver com fome. — Vou até meu escritório. Antes de fechar a porta de vez, olho novamente para a cozinha.

As mãos de Graham estão sobre o balcão, e sua cabeça pende dos ombros. Fica assim por quase um minuto inteiro, mas então se afasta com brusquidão, como se estivesse zangado com alguma coisa. Ou com alguém.

Antes de eu fechar a porta do escritório, ele olha em minha direção. Nossos olhares se encontram. Nós nos encaramos por alguns segundos, e é a primeira vez que o vejo como um completo estranho. Não faço a menor ideia do que está pensando agora.

É nesse momento que eu devia lhe perguntar em que está pensando. É nesse momento que eu devia lhe confessar em que estou pensando. É nesse momento que eu devia ser honesta e admitir que, talvez, devêssemos abrir aquela caixa.

Mas, em vez de ser corajosa e enfim falar a verdade, canalizo meu covarde interior. Desvio o olhar e fecho a porta.

Continuamos a dança.

Capítulo treze

Antes

Cada minuto que passei com ele hoje me surpreendeu mais que o anterior.

Toda vez que abre a boca ou sorri ou me toca, só consigo pensar: *No que diabos Sasha estava pensando quando decidiu trair esse homem com Ethan?*

Azar de umas, sorte de outras.

A casa de seus pais é tudo o que imaginei que seria. Cheia de risos, histórias e pais que olham para o filho como se ele tivesse caído direto do céu. Graham é o mais novo de quatro irmãos e o único menino. Não encontrei nenhuma de suas irmãs hoje, porque duas delas vivem em outro estado e a terceira precisou furar o jantar.

Graham se parece com o pai, um homem forte, com olhos tristes e uma alma alegre. A mãe é toda pequena. Mais baixa que eu, mas transmite uma aura de confiança ainda mais impressionante que a de Graham.

Ela me trata com desconfiança. Parece querer gostar de mim, mas é como se também não quisesse ver o filho de coração partido outra vez. Ela deve ter gostado de Sasha em algum momento.

Tenta arrancar algo sobre nosso "relacionamento", mas Graham não lhe dá nada de concreto.

— Há quanto tempo estão saindo juntos?

— Faz um tempo — responde ele, colocando o braço sobre meus ombros.

Um dia.

— Graham já conheceu seus pais, Quinn?

— Algumas vezes. Eles são ótimos — diz Graham.

Nunca. E eles são terríveis.

A mãe sorri.

— Que ótimo. Onde se conheceram?

— No prédio de meu escritório.

Não sei nem onde ele trabalha.

Graham está se divertindo. Toda vez que inventa uma história sobre nós, aperto sua perna ou o cutuco enquanto tento engolir o riso. A certa altura, ele diz à mãe que nós nos conhecemos por causa de uma máquina automática.

— O pacote de balas dela ficou preso na máquina, então coloquei um dólar e comprei um para mim também, tentando soltar o dela. Mas você não vai acreditar no que aconteceu. — Ele olha para mim, me encorajando a terminar a história. — Conte a eles o que houve, Quinn.

Aperto sua perna com tanta força que ele estremece.

— A máquina engoliu o pacote de balas dele também — invento.

Graham ri.

— Dá pra acreditar? Nenhum de nós conseguiu as balas. Então levei Quinn à praça de alimentação para almoçar, e o desenrolar dessa história vocês já sabem.

Precisei morder a bochecha para segurar o riso. Por sorte, ele estava certo quanto à comida da mãe, então passei o restante da refeição com a boca cheia. A mãe dele é uma excelente cozinheira.

— Quer conhecer a casa? — pergunta Graham, quando ela vai até a cozinha para terminar a torta.

Pego sua mão, e ele me conduz para fora da sala de jantar. Assim que ficamos a sós, eu lhe dou um tapinha.

— Você mentiu para seus pais, tipo, umas vinte vezes em menos de uma hora!

Ele segura minhas mãos e me puxa para perto.

— Mas foi divertido, não foi?

Não consigo conter o sorriso que insiste em se abrir.

— Sim, foi mesmo.

Graham cobre minha boca com a sua e me beija.

— Quer o tour padrão em uma casa padrão ou prefere ir ao porão, conhecer meu quarto de quando era garoto?

— Isso nem merece uma resposta.

Ele me guia até o porão e acende a luz. Um pôster desbotado da tabela periódica está pendurado na parede da escada. Quando chegamos ao fim dos degraus, ele acende outra lâmpada, revelando um quarto de menino que parece não ter sido tocado desde que ele saiu de casa. É como um portal secreto direto para a mente de Graham Wells. *Durante o jantar, finalmente descobri seu sobrenome.*

— Ela se recusa a redecorar — explica, entrando de costas no cômodo. — Ainda durmo aqui quando estou de visita. — Ele chuta uma bola de basquete jogada no chão. Está murcha, então mal rola para longe. — Odeio isso aqui. Lembra o ensino médio.

— Não gostava do ensino médio?

Ele faz um gesto indicando o quarto.

— Eu gostava de ciências e matemática mais do que gostava de garotas. Dá pra imaginar como foi meu ensino médio.

Sua cômoda está coberta de troféus e porta-retratos. Nem um único prêmio esportivo à vista. Pego uma de suas fotos de família e a examino de perto. É uma foto de Graham e suas três irmãs mais velhas. Todas se parecem muito com a mãe. E então, no meio, se vê o pré-adolescente magro, com aparelho nos dentes.

— Uau!

Ele para atrás de mim, olhando por cima de meu ombro.

— Eu era o modelo perfeito do adolescente esquisito.

Coloco a foto de volta na cômoda.

— Ninguém poderia imaginar isso agora.

Graham caminha até a cama e se senta na colcha de Star Wars. Ele se reclina, apoiado nas mãos, e me admira enquanto continuo a xeretar o quarto.

— Já disse a você o quanto gosto desse vestido?

Estudo meu vestido. Não estava pronta para encontrar os pais do homem que nem meu namorado é, então não tinha muita roupa limpa. Escolhi um vestido simples de algodão azul-marinho e coloquei um suéter branco por cima. Quando saí do quarto, antes de deixarmos meu apartamento, Graham me saudou como se eu fosse da Marinha. Logo dei meia-volta para me trocar, mas ele me impediu e disse que eu estava bonita de verdade.

— Sim, você disse — afirmo, passando o peso do corpo para os calcanhares.

Seu olhar sobe por minhas pernas, devagar.

— Mas não vou mentir. Realmente preferia que você tivesse usado seu traje de mergulho.

— Nunca mais vou contar meus sonhos.

— Você tem que contar. Todos os dias, pelo tempo que estivermos juntos — diz ele, rindo.

Sorrio e dou uma volta para ler alguns dos prêmios nas paredes. São tantos.

— Você é inteligente? — Olho para ele. — Tipo, inteligente *mesmo*?

Ele dá de ombros.

— Só um pouco acima da média. Consequência de ser um nerd. Não tinha o menor talento com as garotas, então passava a maior parte do tempo aqui, estudando.

Não sei dizer se está brincando porque, mesmo sem ter pistas de como ele era no ensino médio, baseado no que sei sobre ele agora, eu diria que era o quarterback do time e namorado da capitã das líderes de torcida.

— Você ainda era virgem quando se formou no ensino médio?

Ele franze o nariz.

— Só transei quando era calouro na universidade. Eu tinha 19 anos. Porra, não tinha nem beijado uma garota quando fiz 18. — Ele se inclina para a frente, pousando as mãos nos joelhos. — Na verdade, você é a primeira garota que eu trago aqui embaixo.

— Mentira. E Sasha?

— Ela veio jantar algumas vezes, mas nunca mostrei meu antigo quarto. Não sei por quê.

— Até parece. Deve dizer o mesmo para todas que traz aqui. Então seduz as garotas em sua colcha de Star Wars.

— Abra a gaveta de cima — pede ele. — Garanto que tem uma camisinha perdida aí desde que fiz 16 anos.

Abro a gaveta e vasculho o conteúdo. Parece uma gaveta de bagulhos. Recibos velhos, pastas de arquivo, moedas. *Uma camisinha no fundo.* Dou uma risada e a pego, virando-a nos dedos.

— Perdeu a validade há três anos. — Observo Graham, e ele está olhando para a camisinha em minha mão, como se ponderasse quão acuradas são essas datas. Coloco a camisinha no sutiã. — Vou guardar.

Graham sorri para mim, com admiração. Gosto de como olha para mim. Já me senti fofa antes. Até mesmo bonita. Mas não tenho certeza se já me senti sexy antes de conhecê-lo.

Ele se inclina para a frente outra vez, chegando até a beirada da cama, e me chama com o dedo, querendo que eu me aproxime. Está com aquele brilho no olhar. O mesmo brilho daquela noite no restaurante, quando tocou meu joelho. Aquele brilho arde em mim agora, como fez no outro dia.

Avanço alguns passos, mas paro a alguns centímetros de Graham. Ele se endireita.

— Chegue mais perto, Quinn. — O desejo em sua voz reverbera em meu peito e em meu ventre.

Dou mais um passo. Ele desliza a mão para a parte de trás de meu joelho e me puxa até estreitar a distância entre nós. Seu toque arrepia minhas pernas e meus braços.

Ele me olha de baixo, eu o olho de cima. Sua cama é rente ao chão, então sua boca está perigosamente próxima de minha calcinha. Engulo em seco quando a mão que havia me segurado pelo joelho começa a deslizar suavemente até a parte de trás de minha coxa.

Não estou preparada para a sensação que seu toque desperta em mim. Fecho os olhos e oscilo um pouco, me apoiando com as mãos em seus ombros. Eu o encaro de novo, no momento em que seus lábios pressionam minha barriga, coberta pelo vestido.

Ele sustenta meu olhar enquanto desliza a outra mão para a parte de trás de minha outra coxa. Estou completamente tomada pela batida de meu coração. Sinto a pulsação por toda parte, tudo de uma vez.

Graham segura a barra de meu vestido e desliza as mãos, pouco a pouco, por minhas coxas acima até minha cintura, em seguida pressiona os lábios no alto de minha coxa. Movo as mãos para seu cabelo, arfando em silêncio enquanto seus lábios passeiam sobre minha calcinha.

Puta merda.

Posso sentir o calor intenso de sua boca quando ele me beija naquele ponto. Um beijo suave, bem na frente de minha calcinha, mas não importa o quão delicado é. Eu o sinto em meu âmago, e ele me faz estremecer.

Fecho os dedos em seu cabelo, me pressionando ainda mais contra sua boca. Suas mãos agora estão em minha bunda, me puxando em sua direção. Os beijos leves se transformam em beijos intensos, e, antes mesmo que ele tenha a chance de tirar minha calcinha, um tremor me percorre, inesperado, repentino, explosivo.

Eu me afasto com um soluço, mas Graham me puxa de volta para sua boca, me beijando lá embaixo com ainda mais intensidade, até que estou agarrando seus ombros, buscando seu apoio para me manter de pé. Todo o meu corpo começa a convulsionar, e luto para me manter em silêncio e ereta enquanto o quarto inteiro gira a meu redor.

Meus braços tremem, minhas pernas amolecem conforme seus beijos chegam ao fim. Ele desliza a boca por minha coxa e olha para cima, para mim. Preciso de toda a força para não desviar o olhar quando ele levanta ainda mais meu vestido e beija a pele nua da minha barriga.

Graham me segura pela cintura. Estou completamente sem fôlego e um pouco atônita com o que acabou de acontecer. E com quão rápido aconteceu. E com o fato de que quero mais. Quero me deitar sobre ele e usar aquela camisinha.

— Quão precisa você acha que é aquela data de validade? — pergunta Graham, como se pudesse ler minha mente.

Monto em seu colo, ponderando a seriedade da pergunta. Roço os lábios nos dele.

— Tenho certeza de que a data de validade é só precaução.

Graham segura minha nuca e mergulha a língua em minha boca, me beijando com um gemido. Ele enfia os dedos dentro de meu sutiã e pega a camisinha, então para de me beijar apenas tempo o suficiente para abrir a embalagem com os dentes. Ele nos gira, me pressionando contra a colcha de Star Wars. Engancho os polegares no cós da calcinha e a deslizo para baixo enquanto ele abre o zíper do jeans. Estou deitada de costas na cama quando ele se ajoelha no colchão e coloca a camisinha. Nem tenho tempo de estudá-lo melhor antes que deite em cima de mim.

Ele me beija enquanto me penetra devagar. Todo o meu corpo se contrai, e eu gemo. Talvez um pouco alto demais, porque ele ri contra minha boca.

— Shh — pede com os lábios nos meus lábios, com um sorriso. — Teoricamente, estamos passeando pela casa agora. Não um pelo outro.

Dou uma risada, mas, assim que ele começa a me penetrar ainda mais, prendo a respiração.

— Caramba, Quinn. — Graham respira em meu pescoço, então faz outra investida. A essa altura, nós dois soamos um pouco escandalosos. Ele se acalma dentro de mim enquanto tentamos ao máximo ser tão silenciosos quanto possível. Eu arquejo quando ele volta se mover, mas Graham cobre minha boca com a sua, me beijando com paixão.

Ele alterna entre me beijar e me observar, e faz as duas coisas com uma intensidade que não tenho certeza se já presenciei. Seus lábios pairam sobre os meus, encontrando-os de vez em quando enquanto tentamos nos manter em silêncio. Seus olhos estão fixos nos meus conforme ele se move dentro de mim.

Ele está me beijando de novo quando começa a gozar.

Sua língua toca o fundo de minha boca, e só sei que ele está chegando ao orgasmo porque prende a respiração e para de se mexer por alguns segundos. É muito sutil, porque está lutando para se manter tão quieto quanto possível. Os músculos de suas costas se contraem sob minhas palmas, e nem uma única vez ele desvia os olhos dos meus, mesmo quando se afasta de meus lábios.

Espero que desmorone sobre mim, sem fôlego, mas não faz isso. De algum modo, se segura, mesmo depois de gozar, me estudando como se temesse perder algo. Ele inclina a cabeça e me beija de novo. E, mesmo quando sai de mim, ainda não desmorona sobre meu corpo. Coloca o peso sobre seu flanco e deita ao meu lado, sem interromper o beijo.

Corro a mão por seu cabelo e o seguro contra minha boca. Nós nos beijamos por tanto tempo que quase esqueço onde estou.

Quando toma fôlego, Graham me observa silenciosamente por um instante, a mão ainda em meu rosto, então inclina a cabeça e me beija de novo, como se não soubesse como parar. Também acho que não sei como parar. Queria mais que tudo que estivéssemos em outro lugar. Minha casa... sua casa... qualquer lugar que não nos obrigue a parar e voltar lá para cima em algum momento.

Não sou inexperiente quando o assunto é sexo. Mas acho que sou inexperiente quanto a isso. A sensação de não querer que termine mesmo muito depois de ter acabado. A sensação de desejar me enterrar em seu peito para ficar ainda mais perto. Talvez isso não seja novo para ele, mas, pelo modo como me observa entre beijos, eu diria que há mais confusão que familiaridade em sua expressão.

Vários segundos se passam enquanto nos encaramos. Nenhum de nós fala. Talvez ele não tenha nada a dizer, mas não consigo falar por conta da implacável intensidade brotando em meu peito. O sexo foi ótimo. Rápido, mas incrível.

Mas o que está acontecendo nesse momento... a incapacidade de desapegar... o desejo de que os beijos não parem... não ser capaz de desviar o olhar... Não sei dizer se é uma parte do sexo que nunca experimentei ou se é algo mais profundo. Como se, talvez, o sexo não fosse o mais íntimo. Talvez haja todo um nível de conexão que eu nem sabia que poderia existir.

Graham fecha os olhos por alguns segundos, então encosta a testa na minha. Depois de um rápido suspiro, ele se afasta, quase como se tivesse de se forçar a fechar os olhos para nos separar. Me ajuda a levantar, e procuro minha calcinha enquanto se livra da camisinha e fecha o zíper do jeans.

Ficamos em silêncio enquanto me visto. Não nos encaramos. Ele pega a embalagem rasgada da camisinha do chão e a joga na lata de lixo ao lado da cama.

Agora estamos de frente um para o outro. Meus braços estão cruzados, e ele olha para mim como se não tivesse certeza de que os últimos quinze minutos de fato existiram. Eu devolvo o olhar como se quisesse uma reprise.

Ele abre a boca, prestes a falar alguma coisa, mas, então, apenas dá um aceno rápido de cabeça e um passo à frente, segura meu rosto e me beija outra vez. É um beijo rude, como se dissesse que ainda não tinha terminado. Eu correspondo ao beijo com igual intensidade. Depois de um minuto, ele começa a andar de costas, na direção das escadas. Nós nos separamos para tomar fôlego, e ele só ri, pressionando os lábios contra meu cabelo.

Subimos dois degraus antes de me dar conta de que não me olhei num espelho. Acabei de transar com esse homem e estou prestes a sorrir para seus pais. Penteio freneticamente o cabelo com os dedos e ajeito o vestido.

— Como estou?

Graham sorri.

— Como se tivesse acabado de transar.

Tento lhe dar um tapinha, mas ele é mais rápido; segura minhas mãos e nos gira até minhas costas estarem coladas à parede da escada. Ele ajeita alguns fios soltos do cabelo, então passa os polegares debaixo de meus olhos.

— Pronto — diz ele. — Está linda. E inocente, como se tivesse dado um simples passeio pela casa. — Ele me beija de novo, e sei que sua intenção era ser rápido e gentil, mas seguro sua cabeça e o puxo para mais perto. Não me canso de seu gosto. Quero apenas estar de volta a meu apartamento, em minha cama com ele, beijando-o. Não quero ter que voltar lá para cima e fingir que quero torta, quando tudo que quero é Graham.

— Quinn — murmura, segurando meus punhos e os pressionando contra a parede. — Quão rápido você acha que consegue comer uma fatia de torta?

É bom saber que temos as mesmas prioridades.

— Muito rápido.

Capítulo catorze

Agora

Apesar de Graham sempre voltar para casa cheirando a cerveja nas noites de quinta, nunca o vi, de fato, bêbado. Acho que prefere não tomar mais que uma ou duas cervejas por vez, porque ainda se sente culpado pela perda do amigo, Tanner, há muitos anos. A sensação de embriaguez provavelmente o lembra da própria angústia. Do mesmo modo que o sexo me lembra de *minha* angústia.

Eu me pergunto por que ele está angustiado esta noite.

É a primeira vez que precisa ser trazido em casa por um colega de trabalho em uma quinta-feira à noite. Observo da janela enquanto Graham tropeça na direção da porta da frente, um dos braços jogado ao acaso em volta do sujeito que está tentando fazê-lo chegar ao lar.

Caminho até a entrada e destranco e abro a porta. Graham ergue os olhos e me lança um sorriso largo.

— Quinn!

Ele acena para mim; voltando a cabeça na direção do amigo ao seu lado.

— Quinn, esse é meu bom amigo, Morris. Ele é meu bom amigo.

Morris assente, constrangido.

— Obrigada por trazê-lo para casa — agradeço, então estendo a mão e ajudo Graham a se separar do amigo, colocando seu braço em meus ombros. — Onde está o carro dele?

Morris aponta por cima do ombro com o polegar no momento que o carro de Graham é estacionado na entrada da garagem. Outro colega de trabalho de Graham salta do carro. Eu o reconheço do escritório. Acho que se chama Bradley.

Bradley caminha até a porta da frente enquanto Graham coloca os dois braços ao meu redor, transferindo ainda mais peso para mim. Bradley me passa as chaves e ri.

— É a primeira vez que conseguimos fazê-lo beber mais de duas cervejas — explica ele, indicando Graham com a cabeça. — Ele é bom em muitas coisas, mas não tem resistência ao álcool.

Morris dá uma risada.

— Amador.

Os dois se despedem com um aceno e seguem para o carro de Morris. Entro em casa com Graham e fecho a porta.

— Eu ia pegar um táxi — balbucia Graham. Ele me solta e caminha até a sala de estar, desabando no sofá. Eu riria e acharia a situação engraçada se não estivesse tão preocupada com a possibilidade de que o motivo que o levou a beber tanto essa noite tenha algo a ver com quanto estava chateado depois de segurar o sobrinho recém-nascido no colo. Ou talvez fossem as mágoas de nosso casamento que quisesse afogar.

Vou até a cozinha para pegar um copo de água para ele. Quando volto à sala, Graham está sentado ereto no sofá. Eu lhe estendo o copo, assimilando como seus olhos parecem diferentes. Ele está sorrindo para mim enquanto toma um gole. Não parecia tão feliz há muito tempo. Vê-lo bêbado faz com que eu me dê conta de como parece triste quando está sóbrio. Não percebi que sua tristeza o consumia ainda mais que de costume. É provável que eu não tenha notado porque a tristeza é como uma teia de aranha. Você não a vê até ser capturado por ela e então precisa lutar para se libertar.

Eu me pergunto há quanto tempo Graham vem tentando se libertar. Parei de lutar havia anos. Apenas deixo a teia me consumir.

— Quinn — diz Graham, deixando a cabeça cair no sofá. — Você é bonita pra caralho. — Seus olhos devoram meu corpo, então param na minha mão. Ele envolve meu punho em seus dedos e me puxa para si. Estou tensa. Não me rendo. Queria que ele estivesse bêbado o bastante para desmaiar no sofá. Em vez disso, está bêbado apenas o suficiente para esquecer que não tomou a iniciativa desde aquela noite em que dormiu no quarto de hóspedes. Está bêbado apenas o bastante para fingir que não temos discutido tanto quanto temos feito.

Graham se inclina para a frente e me agarra pela cintura, me puxando para o sofá, ao seu lado. Seu beijo é embriagador e fluido. Ele me deita de costas. Meus braços estão acima da cabeça, e sua língua, em minha boca, e Graham tem um gosto tão bom que esqueço de me fechar para ele por um momento. O momento se transforma em dois, e logo minha camiseta está enrolada na cintura e as calças dele estão abertas. Toda vez que abro os olhos e o observo, está me encarando com olhos tão diferentes dos meus. Tão alheios ao desânimo que permanentemente exibo.

A ausência de tristeza em Graham é intrigante o suficiente para que eu o deixe me possuir, mas não intrigante o bastante para me fazer reagir com o mesmo abandono com que ele me toma.

No início de nosso casamento, costumávamos transar quase diariamente, mas era a quinta-feira que eu aguardava ansiosamente. Era uma de minhas noites preferidas na semana. Eu vestia uma lingerie e o esperava no quarto. Às vezes enfiava uma de suas camisetas e o aguardava na cozinha. Na verdade, não importava o que eu estivesse usando. Ele cruzava a porta, e, de repente, eu não tinha mais nada no corpo.

Não faltava sexo em nosso casamento; conheço cada palmo de seu corpo. Entendo cada gemido que solta e o que cada gemido significa. Sei que gosta de ficar por cima na maior parte do tempo, mas jamais se importou quando assumi o controle. Sei que gosta de manter os olhos abertos. Sei que ama beijar durante a transa. Sei que gosta de transar pela manhã, mas prefere tarde da noite. Sei tudo que há para saber sobre ele em relação ao sexo.

No entanto, nos últimos dois meses... não transamos nem uma vez. O mais próximo que chegamos disso até agora foi quando nos pegamos no banheiro da casa de seus pais.

Ele não tomou a iniciativa desde então, nem eu. E não conversamos sobre a última vez que transamos. Não precisei acompanhar minha ovulação a partir de então, e, honestamente, tem sido um grande alívio. Após passar, enfim, alguns meses sem verificar meu ciclo, eu me dei conta de que preferia nunca mais transar. Se eu nunca mais transasse, então todo mês, quando minha menstruação descesse, seria exatamente o que eu estava esperando, e não um sentimento avassalador.

Tento conciliar minha necessidade de evitar sexo com meu desejo por Graham. Só porque não desejo sexo não quer dizer que não o deseje. Agora, apenas me obrigo a sentir outro tipo de desejo. Um desejo emocional. São meus desejos físicos que não acabam bem. Desejo seu toque, mas, se permitir que me toque, acaba em sexo. Desejo seu beijo, mas, se o beijar por muito tempo, acaba em sexo. Desejo seu lado sedutor, mas, se apreciar demais, acaba em sexo.

Quero tanto curtir meu marido sem a única coisa que sei ser imprescindível a ele, a coisa que eu menos quero. Mas ele faz tantos sacrifícios por mim; sei que, às vezes, eu devia fazer o mesmo por ele. Só queria que o sexo não fosse um sacrifício para mim.

Mas é. E um que decido fazer por ele esta noite. Já se passou tanto tempo, e ele tem sido muito paciente.

Ergo uma das pernas para as costas do sofá e levo a outra ao chão quando ele me penetra. Seu hálito quente envolve meu pescoço conforme ele investe contra mim repetidas vezes.

Hoje é dia treze.

Qual é a data daqui a catorze dias?

— Quinn — murmura ele, os lábios mal tocando os meus. Mantenho os olhos fechados e o corpo descontraído, permitindo que me use em uma foda terapêutica a fim de curar a bebedeira. — Me beije, Quinn.

Abro a boca, mas continuo de olhos fechados. Meus braços estão relaxados acima da cabeça, e conto nos dedos os dias desde minha última menstruação. Sequer estou ovulando? Quase termino de contar quando Graham pega minha mão direita e a envolve em seu pescoço. Ele enterra o rosto em meu cabelo enquanto agarra uma de minhas pernas e a enlaça na cintura.

Não estou.

Já se passaram cinco dias de minha ovulação.

Suspiro profundamente, desapontada que não haja a menor chance de aquilo resultar em algo. Já é difícil o bastante me forçar a continuar a fazer amor, então a noção de que esse momento nem mesmo conta me enche de arrependimento. Por que não aconteceu na semana passada em vez disso?

Graham hesita. Anseio por seu gozo, mas nada nele tensiona. Ele tira o rosto de meu cabelo e me encara. Suas sobrancelhas estão franzidas, e ele balança a cabeça, em seguida a pousa em meu pescoço novamente.

— Será que você não pode pelo menos fingir que ainda me deseja? Às vezes sinto como se fizesse amor com um zumbi.

Suas próprias palavras o fazem parar.

Lágrimas escorrem por meu rosto quando ele sai de mim, arrependido.

Seu hálito é quente em meu pescoço, mas dessa vez odeio a sensação. Odeio o modo como cheira a cerveja, o que lhe deu coragem de me dizer aquelas palavras.

— Me largue.

— Me desculpe. Me desculpe.

Pressiono as mãos em seu peito, ignorando o imediato e intenso arrependimento em sua voz.

— Sai de mim, porra.

Ele rola de lado, segurando meu ombro, tentando me arrastar com ele.

— Quinn, não foi minha intenção. Estou bêbado, me desculpe...

Pulo do sofá e praticamente saio correndo da sala, sem aceitar suas desculpas. Vou direto para o chuveiro para lavar a sensação de Graham em mim e deixo a água purgar minhas lágrimas.

Será que você não pode pelo menos fingir que ainda me deseja?

Fecho os olhos com força enquanto a humilhação me invade.

Às vezes sinto como se fizesse amor com um zumbi.

Com raiva, limpo as lágrimas. Óbvio que ele sente que está fazendo amor com um zumbi. Porque *está*. Há anos não me sinto viva por dentro. Aos poucos, tenho apodrecido, e essa podridão agora consome meu casamento a ponto de eu não conseguir mais disfarçar.

E Graham não consegue mais suportar.

Quando termino o banho, penso que vou encontrá-lo em nossa cama, mas ele não está ali. Provavelmente está tão bêbado que desmaiou no sofá. Por mais furiosa que esteja com sua declaração, também sinto pena suficiente para checar se está bem.

Quando atravesso a cozinha escura a caminho da sala, não o noto encostado ao balcão até passar ao seu lado e ele agarrar meu braço. Arquejo, surpresa.

Ergo os olhos, pronta para gritar, mas não consigo. É difícil gritar com alguém por dizer a verdade. A lua lança uma luz suave pelas janelas, e posso ver que a tristeza voltou a seus olhos. Ele não diz nada. Apenas me puxa para si e me abraça.

Não... ele *se prende* a mim.

A parte de trás de minha camiseta está amarfanhada em dois sólidos punhos conforme ele intensifica o abraço. Posso sentir seu pesar por ter deixado aquelas palavras escaparem de sua boca, mas Graham não pede perdão de novo. Apenas me abraça em silêncio, porque sabe que, a essa altura, um pedido de desculpas é inútil. Pedidos de desculpas são ótimos para admitir arrependimento, mas de pouco valem para esvaziar a verdade das ações que causaram remorso.

Permito que me abrace até minha mágoa abrir um abismo entre nós. Eu me afasto e baixo o olhar para os pés por um momento, me perguntando se quero dizer algo a ele; me perguntando se ele vai me dizer algo. Quando o cômodo continua em silêncio, eu me viro e vou para nosso quarto. Ele me segue, mas tudo o que fazemos é rastejar até a cama, dar as costas um ao outro e evitar o inevitável.

Capítulo quinze

Antes

Engoli a fatia de torta em cinco dentadas.

Os pais de Graham pareceram um pouco confusos com nossa saída apressada. Ele disse à mãe que tínhamos ingressos para uma queima de fogos e precisávamos ir antes que perdêssemos o *grand finale*. Fiquei aliviada por ela não ter pescado o trocadilho na mentira.

Quase não conversamos no caminho de volta. Graham diz que gosta de dirigir com as janelas abertas à noite. Ele liga o rádio e pega minha mão, segurando-a durante todo o trajeto até minha casa.

Quando chegamos a meu apartamento, abro a porta e caminho até a metade da sala de estar antes de me dar conta de que ele não me acompanhou. Dou meia-volta, e ele está encostado ao batente, como se não tivesse a menor intenção de entrar.

Noto uma expressão preocupada em seu rosto, então caminho de volta até a porta.

— Está tudo bem?

Ele assente, mas o gesto não convence. Os olhos passeiam pela sala, em seguida encontram os meus com muita gravidade.

Eu estava me acostumando ao lado brincalhão e sarcástico de Graham. Agora o lado intenso, sério, ressurgiu.

Graham desencosta da porta e passa uma das mãos pelo cabelo.

— Talvez isso seja... muito intenso. Muito rápido.

Sinto o rosto esquentar; não de um jeito bom, mas de um jeito tão carregado de irritação que deixa o peito em chamas.

— Você está de sacanagem? Foi você que me obrigou a encontrar seus pais antes mesmo de eu saber seu sobrenome. — Levo a mão à testa, completamente atordoada com sua decisão de desistir agora. *Depois* de me foder. Dou uma risada, não acreditando em minha estupidez. — Isso é surreal.

Recuo para fechar a porta, mas ele avança e a abre, me puxando pela cintura.

— Não. — Ele balança a cabeça com convicção. — Não. — Ele me beija, mas se afasta antes que eu sequer tenha a chance de rejeitá-lo. — É só que... *Deus*, não consigo encontrar as palavras nesse momento. — Sua cabeça pende para trás, como se não fosse capaz de digerir a própria confusão. Ele me solta e segue para o corredor, então anda de um lado para o outro enquanto organiza os pensamentos. Parece tão atormentado quanto da primeira vez que o vi. Também estava andando de um lado para o outro naquele dia, do lado de fora do apartamento de Ethan.

Graham dá um passo em minha direção, agarrando o batente da porta.

— Passamos um dia juntos, Quinn. *Um*. Tem sido perfeito e divertido, e você é tão bonita. Quero pegar você no colo e levar você até sua cama, e ficar dentro de você a noite toda, e amanhã, e depois, e é... — Ele passa uma das mãos pelo cabelo rebelde, depois aperta a própria nuca. — Está dando um nó em minha cabeça, e sei que, se não me afastar agora, vou ficar bem decepcionado quando você perceber que não sente o mesmo.

Levo pelo menos dez segundos antes de compreender tudo o que acabou de dizer. Minha boca se abre, e, antes que eu possa admitir que tem razão, que é mesmo tudo muito intenso e muito rápido, solto:

— Sei o que quer dizer. É assustador.

Ele se aproxima.

— É.

— Você já se sentiu assim antes? Tão rápido?

— Nunca. Nem perto.

— Eu também não.

Ele desliza a mão em meu pescoço e enfia os dedos em meu cabelo. Sua outra mão pressiona a curva de minhas costas e me puxa para ele. Graham murmura a pergunta contra meus lábios:

— Você quer que eu vá embora?

Respondo com um beijo.

Nenhum de nós questiona nada do que acontece depois. Não há arrependimentos quando ele fecha a porta com o pé. Nenhum receio de que isso esteja indo rápido demais quando rasgamos as roupas um do outro. Nenhum de nós hesita no caminho até o quarto.

E, pela próxima hora, a única pergunta que faz é:

— Quer que eu fique por cima agora?

Graham só precisa que eu responda uma vez, mas digo sim pelo menos cinco vezes antes do fim.

Agora, ele está deitado de costas, comigo atracada a ele, como se não houvesse meio metro de colchão nos ladeando. Nossas pernas estão entrelaçadas, e minha mão desenha círculos em seu peito. Temos ficado em silêncio na maior parte do tempo desde que terminamos, mas não por falta do que dizer. Acho apenas que estamos refletindo sobre como nossas vidas eram há dois dias em comparação ao que são agora.

É muito para assimilar.

Graham corre os dedos por meu braço, para cima e para baixo. Seus lábios pousam no topo de minha cabeça em um beijo rápido.

— Ethan tentou reconquistar você?

— Sim, por algumas semanas. — Acho que seu fracasso fica implícito. — E Sasha?

— Sim — responde ele. — Ela foi incansável. Me ligava três vezes ao dia, por um mês. Meu correio de voz vivia entupido.

— Você devia ter trocado de número.

— Não podia. Era a única maneira de você me encontrar.

A confissão me faz sorrir.

— Eu com certeza nunca ia ligar — admito. — Deixei seu número na parede porque gostava de como me fazia sentir. Mas não achei que seria uma boa ideia, levando em conta como nos conhecemos.

— Ainda pensa assim?

Deslizo para cima dele, e sua expressão preocupada se desmancha com um sorriso.

— A essa altura, pouco me importa como nos conhecemos, só me interessa que o fizemos.

Graham beija o canto de minha boca, entrelaçando nossas mãos.

— Na verdade, achei que tivesse aceitado Ethan de volta, e por isso nunca me ligou.

— Eu nunca o aceitaria de volta. Ainda mais depois de tentar culpar Sasha pelo caso. Ele a pintou como uma sedutora, disse que o iludiu. Até mesmo a chamou de puta uma vez. Foi a última vez que falei com ele.

Graham balança a cabeça.

— Sasha não é uma puta. É uma pessoa razoavelmente decente, que, às vezes, toma decisões terríveis e egoístas. — Ele me deita de costas e começa a deslizar um dedo preguiçosamente sobre minha barriga em círculos. — Tenho certeza de que fizeram aquilo porque pensaram que não seriam pegos.

Não faço ideia de como consegue tratar o assunto com tanta calma. Fiquei tão brava nas semanas após a traição de Ethan. Levei para o lado pessoal, como se eles tivessem tido um caso apenas para pesar em nossa consciência. Graham vê o caso como se houvesse acontecido *apesar* de nós.

— Você ainda fala com ela?

— De jeito nenhum — responde ele, com uma risada. — Só porque não acredito que Sasha é uma pessoa ruim não significa que quero manter algum contato com ela.

Sorrio diante dessa verdade.

Graham beija a ponta de meu nariz, em seguida recua.

— Está aliviada com o que aconteceu? Ou sente falta dele?

As perguntas não parecem nascer do ciúme. Graham dá a impressão de estar apenas curioso sobre coisas que aconteceram em minha vida. E por isso respondo com total honestidade.

— Senti saudades por um tempo, mas agora que tive a chance de refletir, entendo que não tínhamos, de fato, nada em comum. — Rolo de lado e apoio a cabeça na mão. — Em tese, tínhamos muito em comum. Mas aqui — toco meu coração — não fazia sentido. Eu o amava, mas não creio que era o tipo de amor que pudesse enfrentar um casamento.

Graham ri.

— Você fala como se o casamento fosse um furacão de categoria 5.

— Não o tempo todo. Mas acredito que haja *períodos* de categoria 5 em todo casamento. Acho que Ethan e eu não teríamos sobrevivido a esses momentos.

Graham olha para o teto, perdido em pensamentos.

— Sei o que quer dizer. Eu teria decepcionado Sasha como marido.

— Por que diabos pensa isso?

— Tem mais a ver com ela que comigo. — Graham estende a mão, toca meu rosto e limpa alguma coisa.

— Então ela seria uma esposa decepcionante. Não faria de você um marido decepcionante.

Graham sorri para mim com simpatia.

— Você se lembra do que dizia seu biscoito da sorte?

Dou de ombros.

— Já faz um tempo. Alguma coisa sobre imperfeições, acompanhada de um erro ortográfico.

Graham solta uma risada.

— Dizia: se você iluminar apenas suas imperfeições, todas as suas qualidades ficarão na sombra.

Amo que ele tenha guardado minha sorte. Amo ainda mais que a tenha memorizado.

— Somos cheios de defeitos. Centenas deles. São como pequenos furos em nossa pele. E, como sua sorte disse, às vezes prestamos muita atenção em nossas imperfeições. Mas algumas pessoas tentam ignorar as próprias falhas ao destacar as dos outros, a ponto de torná-las seu único foco. Elas as cutucam, pouco a pouco, até que se rasgam, e é só o que nos tornamos para essas pessoas. Uma gigantesca imperfeição. — Graham me encara, e, muito embora suas reflexões sejam um pouco melancólicas, ele não parece desapontado. — Sasha é esse tipo de pessoa. Se eu tivesse casado com ela, não importa o quanto tentasse evitar, em algum momento ela se decepcionaria comigo. É incapaz de se concentrar nas qualidades das outras pessoas.

Fico feliz por ele. A ideia de Graham preso em um casamento infeliz me deixa triste. E a ideia de quase acabar em um casamento infeliz me afeta de modo visceral. Franzo o cenho, compreendendo que, por pouco, não vivenciei esse tipo de casamento. Observo minha mão, inconscientemente esfregando meu dedo anelar nu.

— Ethan costumava fazer o mesmo. Mas não percebi até depois do rompimento. Eu me dei conta de que me sentia mais feliz sem ele que com ele. — Encaro Graham outra vez. — Por muito tempo, achei que ele era bom para mim. Me sinto tão ingênua. Não confio mais em meu próprio julgamento.

— Não seja tão dura consigo mesma — argumenta ele. — Agora você já sabe exatamente o que deve procurar. Quando conhecer alguém bom, ele não vai encher você de insegurança, focando em seus defeitos. Vai encher você de inspiração, porque vai iluminar suas qualidades.

Rezo para que ele não consiga sentir a intensidade das batidas de meu coração neste instante. Engulo em seco, então gaguejo uma resposta patética:

— Isso é... mesmo lindo.

Seu olhar intenso não vacila até ele fechar os olhos e colar a boca à minha. Nós nos beijamos em silêncio por um momento, mas é tão forte que quase não consigo respirar quando nos separamos. Baixo o olhar e inspiro discretamente antes de encará-lo de novo. Abro um sorriso forçado, na tentativa de acalmar a intensidade em meu peito.

— Não acredito que você guardou aquela sorte.

— Não acredito que deixou meu número de telefone na parede por seis meses.

— *Touché.*

Graham estende a mão para meu rosto e desliza o polegar por meus lábios.

— Na sua opinião, qual seu pior defeito?

Beijo a ponta de seu dedo.

— Família conta como defeito?

— Não.

Penso no assunto um pouco mais.

— Tenho muitos. Mas acho que o que eu mais gostaria de mudar se pudesse é minha inabilidade de ler as pessoas. É difícil para mim olhar uma pessoa e saber exatamente no que está pensando.

— Não creio que haja muitas pessoas capazes disso. Elas apenas pensam que são.

— Talvez.

Graham se ajeita, enroscando minha perna sobre ele, enquanto seus olhos brilham divertidos. Ele se inclina para a frente e roça os lábios nos meus, me provocando com um golpe de sua língua.

— Tente me ler agora — sussurra. — No que estou pensando?

— Ele se afasta e desce o olhar para minha boca.

— Você está pensando em se mudar para Idaho e comprar uma fazenda de batatas.

Ele ri.

— É *exatamente* no que estou pensando, Quinn. — Ele deita de costas, me puxando para cima de seu corpo. Eu me apoio em seu peito e sento, montada em Graham.

— E você? Qual seu pior defeito?

O sorriso desaparece do rosto de Graham, e seus olhos ficam tristes novamente. A variação em sua expressão é tão extrema.

Quando está triste, parece mais triste que qualquer pessoa que já conheci. Mas, quando está feliz, parece a mais feliz de todas.

Graham entrelaça os dedos nos meus e os aperta.

— Fiz uma escolha bem estúpida no passado, com consequências desastrosas. — Sua voz é baixa, e percebo que não quer falar sobre o assunto. Mas amo que o faz mesmo assim. — Eu tinha 19 anos. Estava com meu melhor amigo, Tanner. O irmão dele, Alec, de 16 anos, também estava com a gente. Tínhamos ido a uma festa, e eu era o menos bêbado dos três, então dirigi os três quilômetros até em casa.

Graham aperta minha mão e inspira fundo. Não me encara, então sei que a história não acaba bem, e fico mal por ele. Eu me pergunto se esse é o defeito que o faz parecer tão triste às vezes.

— Estávamos a cerca de um quilômetro de minha casa quando batemos. Tanner morreu. Alec foi atirado para fora do veículo e teve várias fraturas. O acidente não foi nossa culpa. Um caminhão ultrapassou o sinal vermelho, mas não fez diferença, porque eu não estava sóbrio. Fui indiciado por dirigir alcoolizado e passei uma noite na cadeia. Mas como eu era réu primário, fui acusado apenas por lesão corporal contra menor e cumpri um ano de pena em liberdade pelo que aconteceu a Alec. — Graham solta um suspiro profundo. — Não é bizarro? Fui acusado pelos ferimentos que Alec sofreu na batida, mas não pela morte de meu melhor amigo.

Sinto o peso de sua tristeza no peito enquanto o observo. É tão intensa.

— Você diz isso como se sentisse culpa por não ter sido acusado da morte de seu amigo.

Os olhos de Graham encontram os meus, enfim.

— Me sinto culpado todos os dias porque estou vivo, e Tanner não.

Odeio que pense que precisa me contar isso. É óbvio que é difícil para ele tocar nesse assunto, mas fico feliz que o tenha feito. Levo uma de suas mãos aos lábios e a beijo.

— Com o tempo passa — assegura Graham. — Quando digo a mim mesmo que poderia facilmente ser eu naquele banco de passageiro, e Tanner ao volante. Nós dois tomamos decisões estúpidas naquela noite. Ambos tivemos culpa. Mas, independentemente das consequências que eu tenha enfrentado, estou vivo, e ele não. E não posso evitar pensar se minhas reações teriam sido mais rápidas caso não tivesse bebido. E se não tivesse decidido que estava sóbrio o bastante para dirigir? E se eu tivesse sido capaz de me desviar do caminhão? Acho que isso é o combustível de minha culpa.

Nem mesmo tento lhe oferecer palavras de conforto. Às vezes as coisas não têm um lado positivo, só um bocado de lados tristes. Estendo a mão e toco seu rosto. Então traço o canto de seus olhos tristes. Meus dedos se movem até a cicatriz em sua clavícula, que ele me mostrou na noite passada.

— Foi assim que conseguiu essa cicatriz?

Ele assente.

Deito sobre ele e pressiono os lábios contra a cicatriz. Eu a beijo de um canto a outro, depois me afasto e encaro Graham.

— Sinto muito pelo que aconteceu.

Ele abre um sorriso forçado, que desaparece tão rápido quanto surgiu.

— Obrigado.

Deslizo os lábios para sua bochecha e o beijo ali, suavemente.

— Sinto muito que tenha perdido seu melhor amigo.

Posso sentir quando Graham solta um suspiro de alívio enquanto me abraça.

— Obrigado.

Movo os lábios de seu rosto para a boca e o beijo com delicadeza. Então me afasto e o encaro novamente.

— Sinto muito — sussurro.

Graham me observa em silêncio por alguns breves segundos, em seguida rola por cima de mim. Pressiona a mão em meu pescoço, segurando meu maxilar com dedos gentis. Ele estuda meu rosto enquanto me penetra, a boca esperando, ansiosa, por meu arquejo. Assim que meus lábios se abrem, sua língua mergulha entre eles e Graham me beija do mesmo modo que me possui. Sem pressa. Rítmico. Determinado.

Capítulo dezesseis

Agora

A primeira vez que sonhei com uma traição de Graham, acordei no meio da noite encharcada de suor. Estava ofegante porque, no sonho, eu chorava tanto que mal conseguia respirar. Graham acordou e logo me abraçou. Ele me perguntou qual era o problema, e fiquei com tanta raiva. Eu me lembro de empurrá-lo para longe porque a fúria de meu sonho ainda estava presente. Como se ele tivesse, de fato, me traído. Quando contei a ele o que aconteceu, Graham riu e apenas me abraçou e me beijou até que minha raiva passasse. Então, fez amor comigo.

No dia seguinte, me mandou flores. O cartão dizia: *Me desculpe pelo que fiz em seu pesadelo. Por favor, me perdoe essa noite, quando sonhar.*

Ainda tenho o cartão. Sorrio toda vez que me lembro dele. Alguns homens não são capazes de se desculpar nem pelos erros que cometem na vida real. Mas meu marido se desculpa pelos erros cometidos em sonhos.

Eu me pergunto se vai se desculpar esta noite.

Eu me pergunto se, de fato, tem algo pelo que se desculpar.

Não sei por que estou desconfiada. Começou na noite em que chegou em casa bêbado demais para lembrar na manhã seguinte, e a suspeita continuou até a última quinta-feira, quando voltou para casa e não cheirava nem um pouco a cerveja. Jamais desconfiei dele antes deste mês, mesmo após minha experiência com Ethan. Mas alguma coisa não me pareceu certa na quinta-feira. Ele veio direto para casa e trocou de roupa sem me beijar. E nada pareceu certo desde então.

O medo bateu forte hoje, direto em meu peito. Tão forte que solucei e cobri a boca.

É como se eu pudesse sentir sua culpa a todo segundo, independentemente de onde ele esteja. Sei que é impossível... duas pessoas tão conectadas a ponto de uma sentir a outra mesmo quando não estão fisicamente juntas. Imagino que tenha mais a ver com o milimétrico avanço de minha negação até, enfim, estar sob os holofotes no palco de minha consciência.

As coisas nunca estiveram tão ruins entre nós. Quase não nos falamos. Não somos carinhosos. Mesmo assim, perambulamos pelos cômodos da casa, fingindo ainda ser marido e mulher. Mas, desde a noite da bebedeira, parece que Graham deixou de se sacrificar. Os beijos de despedida passaram a ser menos frequentes. Os beijos de cumprimento cessaram por completo. Ele finalmente chegou a meu nível nessa relação.

Ou se sente culpado por alguma coisa ou, enfim, desistiu de lutar pela sobrevivência de nosso casamento.

Mas não era o que eu queria? Que ele parasse de lutar com tanto afinco por algo que apenas lhe trará mais sofrimento?

Não tenho o costume de beber, mas mantenho uma garrafa de vinho para emergências. Com certeza, isso é uma emergência. Tomo a primeira taça na cozinha enquanto vigio o relógio.

Tomo a segunda no sofá enquanto vigio a entrada da garagem.

Preciso do vinho para acalmar as dúvidas que estou tendo. Meus dedos tremem conforme observo o vinho. Meu estômago parece transbordar de preocupação, como se eu estivesse dentro de um de meus pesadelos.

Estou no canto direito do sofá, sentada sobre os pés. A TV não está ligada. A casa está às escuras. Ainda estou olhando para a entrada da garagem quando o carro de Graham finalmente estaciona, às 19h30. Tenho uma visão nítida dele conforme desliga o motor e os faróis escurecem. Posso vê-lo, mas ele não pode me ver.

As mãos apertam o volante. Ele continua sentado no carro, como se o último lugar do mundo em que quisesse estar fosse dentro de casa, comigo. Bebo outro gole de vinho e o observo enquanto pressiona a testa contra a direção.

Um, dois, três, quatro, cinco...

Por quinze segundos, ele fica sentado ali. Quinze segundos de pavor. Ou arrependimento. Não sei o que está sentindo.

Ele larga o volante e se endireita no banco. Verifica o reflexo no retrovisor e limpa a boca. Ajeita a gravata. Enxuga o pescoço. *Quebra meu coração.* Suspira profundamente e, em seguida, salta do carro.

Quando atravessa a porta da frente, não me nota de imediato. Caminha pela sala, na direção da cozinha e de nosso quarto. Está quase na cozinha quando finalmente me vê.

Inclino a taça nos lábios. Sustento seu olhar enquanto tomo outro gole. Ele apenas me encara em silêncio. Com certeza está se perguntando o que faço aqui, sentada no escuro. Sozinha. Bebendo vinho. Seus olhos seguem o trajeto de mim até a janela da sala de estar. Nota como é visível seu carro desse ângulo. Como seus atos devem ter me parecido nítidos enquanto estava dentro do carro. Está se perguntando se eu o vi limpar os vestígios da outra de sua boca. De seu pescoço. Está se perguntando se eu o vi ajeitar a gravata. Está se perguntando se o vi pousar a cabeça no volante com pavor. Ou culpa. Ele não me encara de novo. Em vez disso, baixa o olhar.

— Qual o nome dela? — pergunto, de algum modo conseguindo não soar rancorosa. Eu o questiono no mesmo tom que geralmente uso para lhe perguntar como foi seu dia.

Como foi seu dia, querido?

Qual o nome de sua amante, querido?

Apesar do tom agradável, Graham não me responde. Ele levanta o olhar até encontrar o meu, mas permanece em obstinado silêncio.

Sinto um peso no estômago, como se fosse ficar doente de verdade. Estou atônita com quanto seu silêncio me irrita. Estou pasma com quanto isso tudo dói mais na vida real que nos pesadelos. Não achei que pudesse ser pior que em sonhos.

De algum modo me levanto, ainda segurando a taça. Quero atirá-la. Não em cima de Graham. Só preciso arremessá-la em *alguma coisa*. Eu o odeio com cada fibra de minha alma nesse momento, mas não o culpo o bastante para jogar o copo nele. Se pudesse jogá-lo em mim, eu o faria. Mas não posso, então o arremesso na direção de nossa foto de casamento, pendurada na parede oposta.

Repito as palavras quando minha taça acerta a fotografia, se despedaçando, sangrando pela parede e pelo piso.

— Qual a *porra* do nome dela, Graham?

Minha voz não é mais agradável.

Graham nem mesmo pisca. Não olha para a foto do casamento, não olha para o chão sangrando abaixo, não olha para a porta da frente, não olha para os próprios pés. Ele olha direto para mim e diz:

— Andrea.

Assim que o nome finalmente deixa seus lábios, ele desvia o olhar. Não quer testemunhar o que sua brutal honestidade faz comigo.

Lembro o momento em que estava prestes a encarar Ethan depois de descobrir que ele me traiu. O momento em que Graham segurou meu rosto e disse: "A pior coisa que podemos fazer agora é mostrar emoção, Quinn. Não fique zangada. Não chore."

Foi mais fácil daquela vez. Quando Graham estava do *meu* lado. Não é tão fácil enfrentar isso sozinha.

Meus joelhos encontram o piso, mas Graham não está aqui para me amparar. Assim que disse o nome da outra, ele saiu da sala.

Faço todas as coisas que Graham me aconselhou a não fazer da última vez que isso me aconteceu. Mostro emoção. Fico zangada. Choro.

Eu rastejo até a bagunça que fiz no chão. Recolho os pequenos cacos de vidro e os empilho. Estou chorando demais para distingui-los. Mal enxergo através das lágrimas quando pego um punhado de guardanapos para enxugar o vinho do assoalho de madeira.

Ouço o chuveiro. Ele provavelmente está lavando os vestígios de Andrea enquanto limpo o resto do vinho tinto.

As lágrimas não são novidade, mas são diferentes dessa vez. Não estou chorando por uma coisa que nunca chegará a acontecer. Estou chorando por algo que está chegando ao fim.

Pego um caco de vidro e me arrasto até a parede, me apoiando ali. Estico as pernas à frente e olho para baixo, para o caco de vidro. Eu viro a mão e pressiono o vidro contra minha palma, furando minha pele. Pressiono com mais força. Observo enquanto o caco entra cada vez mais fundo em minha palma. Observo conforme o sangue borbulha ao redor do vidro.

De algum modo, meu peito dói mais que minha mão. *Muito mais.*

Solto o caco de vidro e limpo o sangue com um guardanapo. Em seguida, encolho as pernas e abraço os joelhos, enterrando o rosto ali. Ainda estou chorando no momento que Graham volta para a sala. Eu aperto o abraço ao redor dos joelhos quando ele se ajoelha perto de mim. Sinto sua mão no cabelo, seus lábios no cabelo. Seu braço ao meu redor. Ele me puxa para si e se senta, apoiado na parede.

Quero gritar com ele, esmurrá-lo, fugir. Mas só o que consigo fazer é me encolher ainda mais enquanto choro.

— Quinn. — Seus braços me envolvem com força, e seu rosto está em meu cabelo. Meu nome parece pura agonia quando sai de seus lábios. Jamais o odiei tanto. Cubro os ouvidos porque não quero ouvir sua voz nesse momento. Mas ele não diz mais nada. Nem mesmo quando me desvencilho dele, caminho até o quarto e tranco a porta.

Capítulo dezessete

Antes

Inseparáveis.

É o que somos.

Já faz dois meses e meio desde que, supostamente, eu lhe dei um *olhar*, naquela noite no restaurante.

Mesmo depois de passar todo o tempo livre juntos, ainda sinto sua falta. Jamais estive tão envolvida com alguém em minha vida. Nunca achei que fosse possível. Não é uma obsessão doentia, porque ele me dá espaço se eu quiser. Mas não quero espaço. Ele não é possessivo ou superprotetor. Não sou ciumenta ou carente. É só que o tempo que passamos juntos parece uma fuga eufórica, e quero aproveitar ao máximo.

Dormimos separados apenas uma vez nas dez semanas desde que começamos a nos ver. Ava e Reid brigaram, então deixei que ela ficasse em meu apartamento, e falamos absurdos sobre homens e só comemos besteiras a noite toda. Foi tragicômico, mas, cinco minutos depois que ela passou pela porta, eu estava ligando para Graham. Vinte minutos depois que ela foi embora, ele estava batendo à porta. Vinte e um minutos depois que ela se foi, estávamos fazendo amor.

Isso resume tudo. Dez semanas de nada mais que sexo, risadas, sexo, comida, sexo, risadas e mais sexo.

Graham brinca que temos de nos acomodar em algum momento. Mas não hoje.

— Caramba, Quinn. — Ele geme em meu pescoço enquanto desaba sobre mim. Está ofegante, e não sou de grande valia, porque também estou.

Isso não devia ter acontecido. É Halloween, e devíamos estar em uma festa na casa de Ava e Reid, mas, assim que coloquei meu vestidinho vulgar, Graham não conseguiu tirar as mãos de mim. Quase transamos no corredor, perto do elevador, mas ele me carregou de volta ao apartamento para manter nossa dignidade intacta.

Ele me fez manter a promessa de agosto, de nos fantasiarmos no Halloween. Decidimos ir como nós mesmos, mas em versão vulgar. Não chegamos a nenhuma conclusão de como uma fantasia vulgar de nós mesmos deveria parecer, então decidimos vestir o mínimo necessário. Estou usando maquiagem pesada. Graham diz que sua missão é me apalpar a noite toda para ter certeza de que estamos dando um show no quesito demonstrações de carinho.

No momento, nossas roupas estão espalhadas pelo chão, embora meu vestido tenha ganhado outro rasgo. A espera pelo elevador sempre é nossa perdição.

Graham se inclina sobre mim e outra vez enterra a cabeça em meu pescoço, me beijando até minha pele arrepiar.

— Quando vou conhecer sua mãe?

A pergunta quebra o clima, e sinto minha alegria se esvair.

— Nunca, se eu puder evitar.

Graham afasta o rosto de meu pescoço e me encara.

— Ela não pode ser tão ruim.

Solto uma risada hesitante.

— Graham, foi ela que colocou a palavra *prestigioso* em meu convite de casamento.

— Você me julga por meus pais?

Amo os pais de Graham.

— Não, mas eu conheci seus pais em nosso primeiro dia juntos. Eu não conhecia você o suficiente para julgar.

— Você me conhecia, Quinn. Não sabia nada sobre mim, mas *me* conhecia.

— Você parece tão seguro de si.

Ele ri.

— Eu sou. Nós nos descobrimos na noite em que nos encontramos naquele corredor. Às vezes as pessoas se encontram e as aparências não contam, porque conseguem enxergar além delas. — Graham desce a boca até meu peito e deposita um beijo sobre meu coração. — Eu soube tudo de que precisava saber na noite em que conheci você. Nada externo poderia mudar minha opinião sobre você. Nem mesmo meu juízo da mulher que a criou.

Quero beijar Graham. Ou casar com ele. Ou *foder* com ele.

Eu me decido por um beijo, mas um rápido, porque tenho medo de que, se não me afastar, acabe confessando que estou apaixonada por ele. Está bem na ponta da língua, e é mais difícil me conter que simplesmente colocar para fora. Mas não quero ser a primeira a dizer. Ainda não, afinal.

Rolo para fora da cama rapidamente, e pego nossas fantasias.

— Ok. Pode conhecer minha mãe na próxima semana. — Jogo as roupas para ele. — Mas essa noite você vai conhecer Ava. Se vista, estamos atrasados.

Enquanto ajeito a fantasia, Graham ainda está sentado na cama, me encarando.

— E sua calcinha? — pergunta ele.

O vestido é bem curto, e em nenhuma outra noite eu ousaria usar algo assim. Olho para minha calcinha no chão e penso quanto Graham ficaria enlouquecido de saber que não estou usando nada embaixo desse vestido já curto demais a noite toda. Deixo a lingerie no chão e abro um sorriso safado para ele.

— Não combina com a fantasia.

Graham balança a cabeça.

— Você ainda me mata, Quinn. — Ele se levanta e se veste enquanto retoco a maquiagem.

Chegamos à porta.

Chegamos ao corredor.

Porém, mais uma vez, nos distraímos enquanto esperamos o elevador.

* * *

— Você está atrasada. — É tudo que Ava diz quando abre a porta e me vê parada ali com Graham. Ela veste um terninho, e seu cabelo foi penteado como se tivesse acabado de sair de uma cena de *Mulheres perfeitas*. Nós entramos, então ela bate a porta. — Reid! — berra Ava e se vira para procurá-lo, mas ele está bem ao seu lado.

— Ah. — Ela gesticula na direção de Graham. — Ele está aqui.

Reid estende a mão e aperta a de Graham.

— Prazer em conhecê-lo.

Ava dá uma conferida em Graham. Depois em mim.

— Suas fantasias são muito impróprias. — Ela se afasta sem olhar para trás.

— Que porra é essa? — reclamo, olhando para Reid. — Por que ela está sendo tão grossa?

Reid ri.

— Tentei avisar a ela que a fantasia não era muito óbvia.

— Ela está vestida de quê? Vaca?

Reid fica vermelho. Ele se inclina na direção de Graham e de mim.

— Ela está fantasiada de sua mãe.

Graham começa a rir de repente.

— Então ela não é sempre tão... desagradável?

Reviro os olhos e seguro sua mão.

— Vamos. Preciso reapresentar você a minha irmã.

De fato, Ava é simpática com Graham no segundo encontro. Mas, então, ela entra na personagem pelo restante da noite e finge ser nossa mãe. O mais engraçado é que ninguém na festa faz a menor ideia do que está fantasiada. É um segredo entre nós quatro, o que torna tudo ainda melhor a cada vez que ela diz a alguém quanto essa pessoa parece cansada ou quanto odeia crianças.

A certa altura, ela chega perto de Graham e diz:

— Quanto você ganha? — Em seguida, acrescenta: — Vai precisar assinar um acordo pré-nupcial antes de casar com minha filha.

Ela está tão bem como nossa mãe que fico aliviada que a festa esteja chegando ao fim, pois não creio que aguente nem mais um segundo.

No momento, estou com ela na cozinha, ajudando com a louça.

— Achei que você e Reid tinham uma lava-louças. Estou maluca? — pergunto. Ava levanta um dos pés e aponta para um frigobar com uma porta de vidro a alguns metros. — Aquilo é uma adega? Onde a lava-louças costumava ficar?

— Sim.

— Mas... *por quê?*

— Uma das desvantagens de se casar com um francês. Ele acredita que um amplo suprimento de vinho gelado é mais importante que uma lava-louças.

— Isso é terrível, Ava!

Ela dá de ombros.

— Concordei com a troca porque ele me garantiu que lavaria a maior parte dos pratos.

— Então por que ele não está lavando os pratos?

Ava revira os olhos.

— Porque seu namorado é um brinquedo novo, e meu marido está apaixonado.

É verdade. Graham e Reid tinham passado a maior parte da noite conversando. Passo o último prato para Ava.

— Reid me chamou em um canto mais cedo e me disse que já gosta mais de Graham do que gostava de Ethan.

— Somos dois — admite Ava.

— Somos *três*.

Quando terminamos de lavar a louça, dou uma olhada na sala de estar e flagro Graham contando algo a Reid que exige muito movimento de braço. Não creio que já o tenha visto tão animado. Reid se dobra ao meio, gargalhando. Graham me vê, e o sorriso que aparece em seu rosto durante nossa rápida troca de olhares me aquece por dentro. Ele sustenta meu olhar por alguns segundos, em seguida volta sua atenção para Reid. Quando dou meia-volta, Ava está parada no corredor, observando enquanto tento apagar o sorriso do rosto.

— Ele está apaixonado por você.

— Shh. — Volto para cozinha, e ela me acompanha.

— Aquele *olhar* — diz ela, então pega um prato de papelão e se abana. — Aquele homem está apaixonado por você e quer se casar com você e quer que você seja a mãe dos filhos dele.

Não posso evitar um sorriso.

— Deus te ouça!

Ava se endireita e ajeita o terninho.

— Bem, Quinn. Ele tem uma boa aparência, mas, como sua mãe, devo admitir que acho que você merece alguém mais rico. E agora onde está meu martíni?

Reviro os olhos.

— Por favor, pare.

Capítulo dezoito

Agora

Não sei se Graham dormiu no quarto de hóspedes ou no sofá na noite passada, mas, independentemente de onde tenha sido, duvido que tenha conseguido dormir. Tentei imaginá-lo com seus olhos tristes, as mãos no cabelo. De vez em quando, me sentia mal por ele, mas então tentava imaginar como seria a tal Andrea. Como ela pareceria através do olhar triste de meu marido enquanto ele a beijava.

Eu me pergunto se Andrea sabe que Graham é casado. Eu me pergunto se ela sabe que ele tem uma mulher em casa que é incapaz de engravidar. Uma mulher que passou a noite e o dia inteiro trancada no quarto. Uma mulher que enfim saiu da cama por tempo o bastante para arrumar a mala. Uma mulher que está... *acabada*.

Quero já ter ido embora quando Graham voltar para casa.

Ainda não liguei para minha mãe para contar que vou passar um tempo com ela. Definitivamente, nem vou ligar. Vou apenas aparecer. Temo esse confronto com tanta intensidade que protelo ao máximo a conversa com mamãe.

"Eu avisei", ela vai dizer.

"Você devia ter se casado com Ethan", vai dizer. "Todos traem em algum momento, Quinn. Pelo menos, Ethan teria sido um traidor *rico*."

Destranco a porta do quarto e sigo até a sala de estar. O carro de Graham não está na garagem. Perambulo pela casa para ver se tem alguma coisa que queira levar comigo. Isso me lembra de quando tirei todos os vestígios de Ethan de meu apartamento. Não queria nada que tivesse a ver com ele. Nem mesmo as recordações.

Vasculho minha casa enquanto meus olhos assimilam todas as coisas que Graham e eu acumulamos por anos. Nem mesmo saberia por onde começar se eu quisesse levar alguma coisa. Então não começo por lugar algum. Só preciso de roupas.

Quando volto ao quarto, fecho o zíper da mala. Eu a arrasto da cama, e meus olhos encontram a caixa de madeira na prateleira do fundo da estante. Imediatamente, caminho até o móvel e pego a caixa, depois a levo até a cama. Forço a fechadura, mas ela não cede. Eu me lembro de que Graham prendeu a chave à madeira, para que nunca a perdêssemos. Viro a caixa e enfio a unha debaixo da fita adesiva. Acho que enfim vou descobrir o que tem ali dentro, afinal de contas.

— Quinn.

Levo um susto quando ouço sua voz. Mas não o encaro. Não consigo olhar para ele agora. Mantenho o olhar baixo e termino de desprender a fita até soltar a chave.

— *Quinn.* — A voz de Graham transborda de pânico. Congelo, esperando que diga seja lá o que precisa dizer. Ele entra no quarto e se senta ao meu lado na cama. Suas mãos se fecham sobre a minha, que segura a chave. — Eu fiz a pior coisa que poderia ter feito com você. Mas, por favor, me dê uma chance para me redimir antes de abrir isso.

Posso sentir a chave na palma de minha mão.

Que ele fique com ela.

Pego sua mão e a viro. Coloco a chave em sua palma e, em seguida, fecho seus dedos em punho. Eu o encaro.

— Não vou abrir a caixa. Mas é só porque não dou mais a mínima para que *merda* tem aí dentro.

Nem ao menos me lembro da dor que sinto enquanto deixo minha casa e dirijo, mas agora estou parada na entrada da garagem de minha mãe.

Eu admiro a enorme casa, em estilo vitoriano, que significa mais para minha mãe que qualquer coisa fora dessas paredes. Incluindo a mim.

É evidente que ela nunca admitiu isso. Não pegaria bem admitir em voz alta que jamais quis ser mãe de verdade. Às vezes eu me ressinto dela por isso. Minha mãe foi capaz de engravidar — por acidente — e seguir com a gestação. Duas vezes. E ela não ficou feliz em nenhuma das duas. Reclamou por anos das estrias que minha irmã e eu lhe causamos. Odiou o peso a mais que ganhou e do qual nunca se livrou. Nos dias em que nós realmente a estressávamos, ela chamava a babá, cujo número já estava na memória do telefone, e dizia: "Sinceramente, Roberta. Não consigo suportar nem mais um minuto. Por favor, venha assim que possível, preciso de um dia no spa."

Eu me reclino no assento e olho para o quarto que costumava ser meu. Há muito ela o tinha transformado em um closet extra para suas caixas de sapatos vazias. Eu me lembro de, certa vez, estar à janela, observando o jardim da frente. Graham estava comigo. Era a primeira vez que eu o havia levado até ali para conhecer minha mãe.

Nunca vou me esquecer do que ele disse naquele dia. Foi a coisa mais bonita e honesta que já tinha me dito. E foi naquele momento — parada com ele junto à janela de meu quarto — que me apaixonei por Graham.

É a melhor recordação que tenho da casa de minha mãe, e nem ao menos é uma lembrança com ela. É uma memória com Graham. O marido que acabou de me trair.

Sinto que ficar na casa de minha mãe seria pior que ficar dentro de mim mesma. Não posso enfrentá-la agora. Preciso lidar com meus questionamentos antes de permitir que ela enfie o nariz em minha vida.

Começo a manobrar para fora da vaga, mas tarde demais. A porta da frente se abre, e a vejo sair, cerrando os olhos para discernir quem está na entrada de sua garagem.

Encosto a cabeça de volta no assento. Fuga frustrada.

— Quinn? — chama ela.

Salto do carro e caminho em sua direção. Ela mantém a porta da casa aberta, mas, se eu entrar, vou me sentir em uma armadilha. Sento no último degrau e olho para o jardim da frente.

— Não quer entrar?

Balanço a cabeça, então abraço os joelhos e apenas começo a chorar. Depois de um tempo, ela se senta ao meu lado.

— O que houve?

É nessas horas que eu queria ter uma mãe que de fato se importasse quando estou chorando. Ela apenas segue o protocolo e dá batidinhas desajeitadas em minhas costas.

Não lhe conto sobre Graham. Não digo nada de início porque estou chorando demais. Quando enfim me acalmo o bastante para recuperar o fôlego, tudo o que consigo perguntar é algo que soa pior do que eu pretendia.

— Por que Deus daria filhos a alguém como você, mas não dá a mim?

Minha mãe se enrijece. De repente, levanto e olho para ela.

— Desculpe. Eu não queria ser tão insensível.

Ela não parece nada ofendida. Apenas dá de ombros.

— Talvez não seja culpa de Deus — argumenta ela. — Talvez sistemas reprodutores só funcionem ou não funcionem. — Aquilo faria mais sentido. — Como soube que eu nunca quis ter filhos?

Solto uma risada hesitante.

— Você disse. Muitas vezes.

Ela parece culpada de verdade; desvia o olhar e estuda o jardim.

— Eu queria viajar — explica ela. — Quando seu pai e eu nos casamos, tínhamos planos de morar em um país diferente a cada ano, por cinco anos, antes de comprar uma casa. Para que a gente pudesse vivenciar outras culturas antes de morrer. Mas em uma noite imprudente, não tomamos cuidado e veio sua irmã, Ava. — Ela me encara e acrescenta: — Eu nunca quis ser mãe, Quinn. Mas fiz o melhor que pude. De verdade. E sou grata por você e por Ava. Mesmo que seja difícil para mim demonstrar. — Ela segura minha mão e a aperta. — Não foi minha primeira escolha de vida perfeita, mas pode ter certeza de que fiz o melhor que pude com minha segunda chance.

Assinto com a cabeça, enxugando uma lágrima. Não posso acreditar que ela está me confessando tudo isso. E não posso acreditar que estou sentada aqui, confortável com suas afirmações de que nem eu nem minha irmã éramos o que queria da vida. Mas o fato de estar sendo honesta, e até de dizer que está agradecida, é mais do que sequer imaginei conseguir arrancar dela. Eu a envolvo nos braços.

— Obrigada.

Ela também me abraça, embora seja formal, e não como eu abraçaria meus filhos se tivesse algum. Mas ela está aqui e está me abraçando, e isso já serve de alguma coisa.

— Tem certeza de que não quer entrar? Posso fazer um pouco de chá.

Balanço a cabeça.

— Está tarde. É melhor eu voltar para casa.

Ela assente, embora eu perceba que hesita em me deixar aqui fora, sozinha. Simplesmente não sabe o que fazer ou dizer, além do que já disse, sem tornar tudo ainda mais constrangedor. Ela acaba entrando, mas não vou embora de imediato. Fico no pórtico mais um pouco, porque ainda não quero voltar para casa.

Também não quero ficar aqui.

Eu gostaria de não ter que estar em lugar nenhum.

Capítulo dezenove

Antes

— Estou com saudades. — Tento não fazer beicinho, mas é uma ligação e ele não pode me ver, então franzo os lábios.

— Nos vemos amanhã — assegura ele. — Prometo. Só tenho medo de estar sufocando você e você ser boazinha demais para me dizer.

— Não sou. Sou má e brusca e diria para você ir embora se eu realmente quisesse isso. — É verdade. Eu diria a ele se precisasse de espaço. E ele me daria, sem questionar.

— Passo aí amanhã, assim que sair do trabalho, então pego você e vamos ver sua mãe.

Suspiro.

— Ok. Mas vamos transar antes de ir para a casa de minha mãe, porque já estou estressada.

Graham ri, e posso dizer, por sua risada, que está pensando em sacanagem. Ele tem diferentes risadas para diferentes reações, e aprender a diferenciá-las tem sido um de meus passatempos prediletos. Minha risada favorita é a que ele solta de manhã, quando conto o que sonhei na noite anterior. Ele sempre acha que meus sonhos são engraçados, e há uma rouquidão em sua risada matinal porque ainda não está completamente desperto.

— Vejo você amanhã — diz, baixinho, como se já sentisse minha falta.

— Boa noite. — Desligo depressa. Não gosto de falar com Graham ao telefone, porque ele ainda não disse que me ama. Eu também não disse a ele. Então, quando estamos nos despedindo, fico apavorada que seja o momento que ele vai escolher para se declarar. Não quero que a primeira vez seja em uma conversa por telefone. Quero que ele se declare quando estiver olhando para mim.

Passo as duas horas seguintes tentando lembrar como era minha vida antes de Graham. Tomo um banho sozinha, assisto à TV sozinha, jogo no celular sozinha. Pensei que talvez fosse legal, mas estou basicamente entediada.

É estranho. Fiquei com Ethan por quatro anos e devia passar uma ou duas noites por semana com ele. Amava ter tempo para mim quando Ethan e eu estávamos namorando. Mesmo no início. Ficar com ele era legal, mas ficar sozinha também era.

Não é assim com Graham. Depois de duas horas, surto com o tédio. Acabo desligando a televisão, o celular e a luz. Quando tudo está no escuro, tento clarear os pensamentos para dormir e poder sonhar com ele.

* * *

O despertador começa a tocar, mas está tão claro que pego um travesseiro e o coloco sobre o rosto. Em geral, Graham está aqui e sempre desliga o alarme para mim e me dá alguns minutos até eu acordar de vez. O que significa que meu despertador não vai parar se eu não tomar coragem.

Movo o travesseiro e assim que estendo a mão para o despertador, ele para. Abro os olhos e vejo Graham rolando de volta para me encarar. Está sem camisa e parece ter acabado de acordar.

Ele sorri e me dá um selinho.

— Não consegui dormir — explica ele. — Depois da meia-noite, finalmente desisti e vim para cá.

Eu sorrio, muito embora seja cedo demais para ter vontade de sorrir.

— Você sentiu minha falta.

Graham me puxa para si.

— É estranho. Eu costumava ficar bem sozinho. Mas agora que tenho você, me sinto *solitário* quando estou sozinho.

Às vezes ele fala coisas tão doces. Palavras que quero anotar para guardar para sempre e jamais esquecer. Mas nunca as escrevo porque, toda vez que ele diz algo doce, tiro suas roupas e preciso senti-lo dentro de mim mais do que preciso registrar suas palavras.

É exatamente o que acontece. Fazemos amor, e eu me esqueço de anotar suas palavras. Estamos tentando recuperar o fôlego quando ele me pergunta:

— O que perdi enquanto você dormia?

Balanço a cabeça.

— É esquisito demais.

Ele se apoia no cotovelo e me olha como se eu não tivesse escapatória. Suspiro e deito de costas.

— Ok, tudo bem. No sonho, estávamos em seu apartamento. Mas seu apartamento era um buraco em Manhattan. Acordei antes de você, porque queria ser gentil e fazer seu café da manhã. Só que eu não sabia cozinhar e você só tinha caixas de cereal, então decidi preparar uma tigela de Lucky Charms. Mas toda vez que eu tentava derramar o cereal na tigela, a única coisa que saía da caixa eram pequenos comediantes com microfones.

— Espera — interrompe Graham. — Você disse *comediantes*? Tipo pessoas que contam piadas?

— Eu avisei que era esquisito. E sim. Eles estavam contando piadas idiotas. Eu ficava tão zangada porque tudo o que queria era preparar uma tigela de Lucky Charms, mas uma centena de microcomediantes invadiram sua cozinha, contando piadas sem graça. Quando você acordou e entrou na cozinha, me encontrou chorando. Eu estava soluçando, histérica, correndo pela cozinha, tentando esmagar os comediantes com um pote de conserva. Mas, em vez de surtar, você apenas chegou por trás de mim e me abraçou. E disse: "Quinn, está tudo bem. Podemos comer torradas."

Na mesma hora, Graham deita o rosto no travesseiro, sufocando a gargalhada. Então lhe dou um tapinha no braço.

— Tente decifrar esse, sabichão.

Graham suspira e me puxa para perto.

— Quer dizer que talvez eu deva fazer o café da manhã a partir de agora.

Gosto daquele plano.

— O que você quer comer? Torrada francesa? Panquecas?

Eu me ergo e o beijo.

— Só você.

— De novo?

Assinto com a cabeça.

— Quero reprise.

Ganho exatamente o que eu queria de café da manhã. Então tomamos banho juntos, tomamos café juntos e saímos para o trabalho.

Não conseguimos nem mesmo passar uma noite inteira separados, mas não acho que isso queira dizer que estamos morando juntos. É um grande passo que nenhum de nós quer admitir já ter tomado. Quando muito, acho que significa que não moramos mais sozinhos. Se é que existe diferença.

A mãe de Graham provavelmente pensa que já moramos juntos, porque, para ela, estamos saindo há muito mais tempo. Eu visitava a casa dos pais de Graham pelo menos uma vez por semana desde aquele primeiro convite. Felizmente, ele parou de inventar histórias. Estava preocupada com minha incapacidade de acompanhar tudo o que ele inventou para a mãe na primeira noite.

Sem dúvida, sua mãe me ama agora, e seu pai já se refere a mim como sua nora. Não me importo. Sei que estamos juntos há apenas três meses, mas Graham será meu marido um dia. Isso sequer está em questão. É o que acontece quando você encontra seu futuro marido. Eventualmente, você casa com ele.

E eventualmente... você o apresenta a sua mãe.

Que é o que está acontecendo esta noite. Não porque eu queira que ele a conheça, mas porque é justo, uma vez que já conheço seus pais. *Eu mostro o meu se você mostrar o seu.*

***

— Por que você está tão nervosa? — Graham estende a mão entre os bancos e pressiona meu joelho. O joelho que estou balançando desde que entramos no carro. — Sou eu que vou conhecer sua mãe. Eu que devia estar nervoso.

Aperto sua mão.

— Você vai entender depois de conhecê-la.

Graham solta uma risada antes de levar minha mão à boca e dar um beijo nela.

— Você acha que ela vai me odiar?

Entramos na rua de minha mãe agora. Tão perto.

— Você não é Ethan. Ela já odeia você.

— Então por que está nervosa? Se ela já me odeia, não tem como eu desapontá-la.

— Não me importo se ela odiar você. Tenho medo de que *você* odeie minha mãe.

Graham balança a cabeça, como se eu estivesse sendo ridícula.

— Eu jamais poderia odiar a pessoa que gerou você.

Ele diz isso agora...

Observo a expressão de Graham enquanto estaciona. Seus olhos assimilam a enorme casa onde cresci. Posso sentir seus pensamentos. Também posso ouvi-los porque ele os diz em voz alta.

— Puta merda. Você cresceu aqui?

— Pare de me julgar.

Graham coloca o carro na vaga.

— É só uma casa, Quinn. Não define você. — Ele se vira no banco para me encarar, colocando a mão no encosto de cabeça atrás de mim enquanto se aproxima mais. — Sabe o que mais não define você? Sua mãe. — Ele se inclina e me beija, então estende o braço para abrir a minha porta. — Vamos acabar logo com isso.

Ninguém nos recebe à porta, mas, assim que entramos, encontramos minha mãe na cozinha. Quando nos ouve, ela se vira e examina Graham dos pés à cabeça. É constrangedor porque Graham tenta abraçá-la ao mesmo tempo que ela estende o braço para um aperto de mão. Ele vacila um pouco, mas é a única vez. Durante todo o jantar, se comporta como a pessoa adorável e charmosa que é.

Todo o tempo, eu o observo, completamente impressionada. Ele fez tudo certo. Cumprimentou minha mãe como se estivesse feliz de verdade em conhecê-la. Respondeu a todas as perguntas com educação. Falou o bastante sobre a própria família enquanto dava a impressão de estar mais interessado na nossa. Elogiou a decoração, riu das piadas sem graça, ignorou os insultos dissimulados. Mas, mesmo ao observá-lo se sobressair, eu não tinha visto nada além de julgamento nos olhos de minha mãe. Nem preciso ouvir sua opinião porque ela sempre deixou as emoções transparecerem no rosto. Apesar dos anos de Botox.

Ela odeia que ele tenha dirigido até aqui em seu Honda Accord, e não em algo mais vistoso.

Ela odeia que ele tenha ousado vestir jeans e camiseta quando seria apresentado a ela.

Ela odeia que ele seja contador em vez de um dos milionários *para quem* faz a contabilidade.

Ela odeia que ele não seja Ethan.

— Quinn — chama ela, enquanto se levanta. — Por que não mostra a casa a seu amigo?

Meu amigo.

Ela nem mesmo se dignou a nos rotular.

Fico aliviada por ter uma desculpa para sair da sala de visitas, mesmo que apenas por alguns minutos. Pego a mão de Graham e o puxo para fora do cômodo enquanto minha mãe leva a bandeja de chá de volta à cozinha.

Começamos pelo salão, que é apenas um nome chique para uma sala de estar onde ninguém tem permissão de sentar.

— Nunca vi minha mãe ler um livro sequer. Ela só finge ser sofisticada — sussurro, indicando a parede cheia de livros.

Graham ri e finge se importar enquanto caminhamos com calma pelo salão. Ele para em frente a uma parede cheia de fotos. A maioria delas é de minha mãe com minha irmã e eu quando garotas. Logo que nosso pai morreu e ela se casou de novo, mamãe sumiu com quase todas as fotos dele. Mas manteve uma.

É uma foto de meu pai, com Ava em um de seus joelhos, eu no outro. Como se Graham soubesse exatamente qual foto eu estava analisando, ele a tira da parede.

— Você e Ava são mais parecidas agora do que eram aqui.

Assinto.

— Sim, as pessoas sempre perguntam se somos gêmeas quando estamos juntas. Mas não notamos a semelhança.

— Quantos anos você tinha quando seu pai morreu?

— Catorze.

— Tão jovem — comenta ele. — Vocês eram muito próximos?

Dou de ombros.

— Não é que *não* fôssemos. Mas ele trabalhava muito. Quando éramos pequenas, não víamos meu pai mais que duas vezes por semana, mas ele mais que compensava quando o víamos. — Dou um sorriso forçado. — Gosto de pensar que seríamos bem mais próximos agora, se ele estivesse vivo. Ele era um pai mais velho, então acho que era difícil para ele se relacionar com garotinhas, sabe? Mas acho que teríamos uma boa relação como adultos.

Graham devolve a foto à parede. Ele para a cada quadro e toca minha foto, como se pudesse aprender mais sobre mim através das imagens. Quando finalmente voltamos à sala de visitas, eu o guio até a porta dos fundos para lhe mostrar a estufa. Mas, antes que passemos da escada, ele pousa a mão na curva de minhas costas e sussurra em meu ouvido:

— Quero ver seu quarto primeiro.

Seu tom sedutor deixa clara sua intenção. Fico excitada com a ideia de recriar o que aconteceu em seu antigo quarto. Pego sua mão e o conduzo degraus acima com pressa. Deve fazer um ano ou mais desde que visitei meu quarto. Estou excitada que ele o veja porque, depois de ter estado no seu, acho que aprendi bem mais sobre Graham.

Quando chegamos ao meu quarto, abro a porta e deixo que ele entre primeiro. Assim que acendo a luz, fico decepcionada. Essa experiência não vai ser igual à que tive em seu quarto.

Minha mãe empacotou tudo. Caixas vazias de sapatos de grife estão empilhadas contra duas das paredes, do chão ao teto. Caixas vazias de bolsas de grife cobrem uma terceira parede. Todas as minhas coisas, que no passado cobriam as paredes do quarto, estão agora embaladas em velhas caixas de mudança, com meu nome rabiscado de um lado a outro. Vou até a cama e corro os dedos por uma das caixas.

— Ela deve ter precisado de um quarto extra — digo, baixinho.

Graham para ao meu lado e acaricia minhas costas de um modo reconfortante.

— É uma casa pequena — ironiza ele. — Posso entender por que ela precisou de um quarto extra.

Seu sarcasmo me faz rir. Ele me puxa para um abraço, e fecho os olhos enquanto me aconchego em seu peito. Eu me odeio por ter ficado tão excitada com a ideia de ele ver meu antigo quarto. Eu me odeio por ficar tão triste ao entender que minha mãe jamais vai me amar como a mãe de Graham o ama. Há dois quartos de hóspedes nesta casa, no entanto minha mãe decidiu usar justamente meu antigo quarto como depósito. Eu me sinto envergonhada por Graham testemunhar isso.

Eu me afasto e reprimo minhas emoções. Dou de ombros, esperando que ele não note o quanto isso me incomoda. Mas ele percebe.

— Você está bem? — pergunta, enquanto ajeita meu cabelo para trás.

— Sim. É só que... não sei. Conhecer seus pais foi descobrir uma qualidade inesperada sua. Gostaria que você pudesse ter a mesma experiência. — Rio um pouco, constrangida de sequer ter dito aquilo. — Quem dera.

Cruzo o quarto até a janela e olho para fora. Não quero que ele veja a decepção em meu rosto. Graham me segue e me abraça por trás.

— A maioria das pessoas é produto do meio, Quinn. Venho de um bom lar. Cresci com pais ótimos, estáveis. Era esperado que eu me tornasse uma pessoa relativamente normal. — Ele me vira e coloca as mãos em meus ombros. Então inclina a cabeça e me encara com tanta sinceridade. — Estar aqui... conhecer sua mãe e ver de onde você veio e no que se tornou... é *inspirador*, Quinn. Não sei como conseguiu ser essa mulher altruísta, maravilhosa e incrível.

A maioria das pessoas não consegue apontar o exato momento em que se apaixonaram por alguém.

Eu consigo.

Acabou de acontecer.

E talvez seja apenas coincidência, ou talvez seja algo mais, no entanto Graham escolhe este exato instante para encostar a testa na minha e dizer:

— Eu amo você, Quinn.

Eu o envolvo, agradecida por cada parte dele.

— Também amo você.

Capítulo vinte

Agora

Desligo o carro e ponho o banco para trás, esticando a perna sobre o volante. A única luz acesa dentro de casa é a da cozinha. É quase meia-noite. Com certeza, Graham está dormindo porque trabalha amanhã.

Essa manhã, quando acordei, esperava ver Graham ainda do lado de fora do quarto, batendo à porta, implorando perdão. Fiquei irritada por ele ter saído para trabalhar. Nosso casamento está desmoronando, ele confessou ter outra mulher, me enfiei em nosso quarto a noite toda... mas ele acordou, se vestiu e seguiu para o trabalho.

Ele deve trabalhar com Andrea. Provavelmente, quis avisá--la de que eu sabia de tudo, caso eu perca a linha e apareça no escritório para arrebentar a cara dela.

Eu não faria isso. Não estou zangada com Andrea. Não é ela que tem um compromisso comigo. Ela não me deve lealdade, ou eu a ela. Estou irritada com a única pessoa que se encaixa nessa descrição, e essa pessoa é meu marido.

A cortina da sala de estar se mexe. Considero me abaixar, mas sei, por experiência própria, como a entrada da garagem fica visível de nossa sala. Graham consegue me ver, então não vale a pena me esconder. A porta da frente se abre. Ele sai de casa e começa a caminhar em direção ao carro.

Está vestindo o pijama de frio que lhe dei no Natal do ano passado. Nos pés, usa meias de pares diferentes. Uma preta, outra branca. Sempre achei que aquele era um traço contraditório de sua personalidade. Ele é muito organizado e previsível em várias coisas, mas, por alguma razão, nunca se importa se suas meias combinam. Para Graham, meias são uma necessidade prática, não uma questão de moda.

Olho para fora da janela conforme ele abre a porta do lado do passageiro e entra no carro. Quando fecha a porta, parece sugar todo o meu ar. Sinto um aperto no peito, e meus pulmões se comportam como se alguém os tivesse perfurado com uma faca. Abaixo o vidro para poder respirar.

Ele tem um cheiro bom. Odeio que, não importa o quanto tenha magoado meu coração, o restante de mim jamais recebe o memorando de que deve rejeitá-lo. Se um cientista descobrisse uma forma de alinhar coração e cérebro, não haveria tanta agonia no mundo.

Espero que comece com as desculpas. As justificativas. Possivelmente, até mesmo a culpa. Ele toma fôlego.

— Por que nunca compramos um cachorro?

Graham está sentado no banco de passageiro, o corpo meio virado para mim e a cabeça apoiada no encosto. Me encara com bastante seriedade, apesar da pergunta inacreditável que acaba de deixar seus lábios. O cabelo está úmido, como se tivesse saído do chuveiro agora. Os olhos estão vermelhos. Não sei se pela noite maldormida ou porque esteve chorando, mas tudo o que quer saber é por que nunca tivemos um *cachorro*?

— Você está de brincadeira comigo, Graham?

— Sinto muito — desculpa-se ele, balançando a cabeça. — Foi só um pensamento que me ocorreu. Não sabia se havia um motivo.

Seu primeiro *Sinto muito* desde que admitiu estar tendo um caso, e é uma desculpa sem relação à própria infidelidade. Não é de seu feitio. Ter um *caso* não é de seu feitio. Sinto como se não conhecesse o homem sentado ao meu lado.

— Quem *é* você agora? O que fez com meu marido?

Ele olha para a frente e se reclina no assento, cobrindo os olhos com o braço.

— Com certeza está com minha mulher em algum lugar. Já faz um tempo que não a vejo.

Então é assim que vai ser? Pensei que ele viria até aqui e tornaria todo esse martírio um pouco mais suportável, mas, em vez disso, está me dando toda a razão do mundo para justificar minha raiva. Desvio o olhar e concentro minha atenção no lado de fora da janela.

— Odeio você nesse momento. Muito. — Uma lágrima escorre por meu rosto.

— Você não me odeia — argumenta ele, baixinho. — Para me odiar, você teria que me amar. Mas você tem sido indiferente em relação a mim já faz muito tempo.

Enxugo uma lágrima.

— Se isso serve de desculpa para si mesmo por ter dormido com outra mulher, Graham... Eu odiaria que você se sentisse culpado.

— Nunca dormi com ela, Quinn. Nós só... Nunca chegou a tanto. Juro.

Sua confissão me faz hesitar.

Ele não dormiu com ela? Isso faz alguma diferença?

Dói menos? Não. Me deixa menos furiosa com ele? Não. Nem um pouco. O fato é... Graham se tornou íntimo de outra mulher. Pouco importa se foi só uma conversa, um beijo ou uma maratona de sexo. A traição machuca igual, independentemente do nível, quando é seu marido o traidor.

— Nunca dormi com ela — repete ele, com calma. — Não que isso vá fazer você se sentir melhor. Fiquei pensando sobre isso.

Tapo a boca com a mão e tento abafar um soluço. Não dá certo porque tudo o que ele está dizendo, tudo o que está fazendo... não é o que eu esperava dele. Eu precisava de consolo e garantias, e ele está me dando justamente o contrário.

— Saia de meu carro. — Destravo as portas, apesar de já estarem destrancadas. Eu quero que ele vá para longe de mim. Agarro o volante e endireito o banco, aguardando que ele apenas vá embora. Ligo o motor. Ele não se mexe. Eu o encaro outra vez. — Saia, Graham. Por favor. Saia do carro. — Pressiono a testa no volante. — Mal consigo olhar para sua cara agora. — Fecho os olhos com força e espero a porta abrir, mas, em vez disso, o motor para. Eu o ouço tirar as chaves da ignição.

— Não vou a lugar algum até explicar tudo — diz ele.

Balanço a cabeça, enxugando mais lágrimas. Estendo o braço para a porta, mas ele agarra minha mão.

— Olhe para mim. — Ele me puxa em sua direção, se recusando a me deixar sair do carro. — Quinn, *olhe* para mim!

É a primeira vez que grita comigo.

Na verdade, é a primeira vez que o ouço *gritar*.

Graham sempre foi um guerreiro silencioso. A força de sua voz e o modo como reverbera dentro do carro me faz congelar.

— Preciso contar a você por que fiz o que fiz. Quando eu terminar, você decide o que quer fazer, mas *por favor*, Quinn. Me deixe explicar primeiro.

Bato minha porta e me recosto no banco. Fecho os olhos, e as lágrimas continuam a cair. Não quero ouvi-lo. Mas parte de mim precisa saber de cada detalhe porque, se não conhecer os fatos, tenho medo de que minha imaginação pinte um cenário ainda pior.

— Depressa — sussurro. Nem mesmo sei quanto tempo sou capaz de ficar sentada aqui antes de surtar.

Ele respira fundo para se acalmar. Leva um minuto até que decida por onde começar. Ou como começar.

— Ela foi contratada pela firma há alguns meses.

Posso ouvir as falhas em sua voz. Ele tenta se manter firme, mas o arrependimento transparece. É a única coisa que me ajuda a suportar a dor... saber que ele também está sofrendo.

— Nós conversamos algumas vezes, mas nunca a vi como nada mais que uma colega de trabalho. Nunca olhei para outra mulher como olho para você, Quinn. Não quero que pense que foi assim que começou.

Posso senti-lo me observando, mas mantenho os olhos cerrados. Minha pulsação está tão acelerada, acho que a única coisa que a acalmaria seria sair da atmosfera claustrofóbica do carro. Mas sei que ele não vai permitir até que eu o tenha ouvido, então me concentro em respirar com regularidade enquanto ele fala.

— Às vezes ela fazia coisas que chamavam minha atenção. Não porque a achasse atraente ou enigmática... mas porque o jeito dela me lembrava de você.

Balanço a cabeça e abro a boca para falar. Ele percebe que estou prestes a interrompê-lo, então sussurra:

— Apenas me deixe terminar.

Fecho a boca e me inclino para a frente, cruzando os braços sobre o volante. Encosto a testa nos braços e rezo para que ele termine logo.

— Nada aconteceu até semana passada. Tivemos um trabalho na quarta-feira, então passamos o dia juntos. Percebi, conforme as horas passavam, que estava encantado por ela... Atraído por ela. Mas não porque ela tem algo que falta a você. Estava atraído por Andrea porque ela lembrava você demais.

Tenho tantos motivos para gritar nesse momento, mas me controlo.

— Estar com ela naquela quarta-feira me fez sentir falta de você. Então saí mais cedo do trabalho, pensando que, se convidasse você para um jantar bacana ou para qualquer programa que deixasse você feliz, talvez você sorrisse para mim como costumava fazer. Ou se interessasse pelo meu dia. Ou por *mim*. Mas, quando cheguei, vi você cruzando a sala. Sei que me ouviu abrir a porta. Mas, por alguma razão, em vez de ficar feliz por eu ter voltado mais cedo, você se trancou no escritório para me evitar.

Não estou apenas cheia de raiva agora. Estou cheia de vergonha. Não achei que ele notasse todas as vezes que tentei evitá-lo.

— Você só me disse duas palavras naquela noite. *Duas*. Você lembra quais foram?

Assinto, mas mantenho a cabeça enterrada nos braços.

— Boa noite.

Sou capaz de ouvir as lágrimas em sua voz quando ele diz:

— Fiquei tão bravo. Às vezes entender você é como uma maldita charada, Quinn. Eu estava cansado de tentar descobrir o modo certo de me comportar perto de você. Estava tão zangado que nem dei um beijo de despedida em você quando saí para o trabalho na quinta-feira.

Eu percebi.

— Quando terminamos o projeto na quinta, eu devia ter voltado para casa. Devia ter ido embora, mas em vez disso... fiquei. E

conversamos. E eu... a beijei. — Graham esfrega as mãos no rosto.
— Não devia ter feito isso. E, mesmo depois de ter começado, eu devia ter acabado com aquilo. Mas não consegui. Porque, durante todo o tempo que mantive os olhos fechados, fingi que era você.

Levanto a cabeça e o encaro.

— Então a culpa é *minha*? É isso que está dizendo? — Viro o corpo em sua direção no assento. — Você não consegue a atenção que deseja, então procura alguém que faz você lembrar de mim? Suponho que enquanto puder fingir que é sua mulher, não conta como traição. — Reviro os olhos e relaxo no banco. — Graham Wells, o primeiro homem do mundo a justificar eticamente um caso.

— Quinn.

Não o deixo continuar.

— É óbvio que não se sentiu tão culpado assim, se teve todo o fim de semana para pensar no assunto, depois voltou ao trabalho e fez tudo de novo.

— Foram duas vezes. Quinta-feira passada e ontem à noite. Só isso. Juro.

— E se eu não tivesse descoberto? Teria mesmo parado?

Graham passa uma das mãos na boca, o maxilar tenso. Sua cabeça se move um pouco, e espero que não seja uma resposta a minha pergunta. Espero que seja arrependimento.

— Não sei como responder — admite ele, olhando pela janela. — Ninguém merece isso. Especialmente você. Antes de sair hoje à noite, jurei que nunca mais aconteceria. Mas também nunca acreditei que seria capaz de algo assim, para início de conversa.

Olho para o teto do carro e levo a mão ao peito, exalando rapidamente.

— Então por que fez isso? — A pergunta sai em um soluço.

Graham se vira para mim logo que começo a chorar. Ele se inclina entre os bancos e segura meu rosto, em um apelo silencioso para que eu o encare. Quando enfim encontro seu olhar desesperado, isso me faz chorar ainda mais.

— Nós andamos pela casa como se tudo estivesse bem, mas *não está*, Quinn. Já faz anos que não estamos bem, e não faço ideia de como consertar. Encontro soluções. É o que faço. É no que sou bom. Mas não faço a menor ideia de como resolver você e eu. Todo dia, volto para casa com esperança de que as coisas melhorem. Mas você mal suporta ficar no mesmo cômodo que eu. Odeia quando toco em você. Odeia quando falo com você. Finjo não notar as coisas que não quer que eu note porque não quero magoá-la mais do que já foi magoada. — Ele solta o ar. — Não estou culpando você pelo que fiz. É minha culpa. É *minha* culpa. Eu fiz isso. *Eu* fodi com tudo. Mas não fodi com tudo porque estava atraído por *ela*. Fodi com tudo porque sinto falta de *você*. Todo dia, sinto sua falta. Quando estou no trabalho, sinto sua falta. Quando estou em casa, sinto sua falta. Quando você está ao meu lado na cama, sinto sua falta. Quando estou *dentro* de você, sinto sua falta.

Graham encosta a boca na minha. Posso sentir o sabor de suas lágrimas. Ou talvez sejam minhas lágrimas. Ele se afasta e pressiona a testa contra a minha.

— Sinto sua falta, Quinn. Demais. Você está bem aqui, só que não está. Não sei para onde foi ou quando partiu, mas não faço ideia de como trazer você de volta. Estou tão sozinho. Moramos juntos. Comemos juntos. Dormimos juntos. Mas nunca, jamais me senti tão sozinho em toda a minha vida.

Graham me solta e volta a se recostar em seu banco. Apoia o cotovelo na janela, cobrindo o rosto enquanto tenta se recompor. Em todos os anos que o conheço, nunca o vi tão abalado.

E sou eu que estou fazendo isso com ele, pouco a pouco. Estou tornando-o irreconhecível. Eu o arrastei comigo ao permitir que acreditasse que havia esperança de algo mudar, em algum momento. Que, por um milagre, eu voltaria a ser a mulher por quem se apaixonou.

Mas não posso mudar. Somos fruto de nossas circunstâncias.

— Graham. — Enxugo o rosto na blusa. Ele está em silêncio, mas acaba me encarando com seus olhos magoados e tristes. — Não fui a lugar algum. Estive aqui o tempo todo. Mas você não consegue me ver porque continua procurando pela pessoa que eu costumava ser. Lamento que eu não seja mais a pessoa que era no passado. Talvez eu melhore. Talvez não. Mas um bom marido ama sua esposa nos bons *e* nos maus momentos. Um bom marido fica ao lado da mulher na saúde *e* na doença, Graham. Um bom marido, um marido que *realmente* ama sua esposa, não a trai e depois usa o fato de estar *solitário* para justificar essa traição.

A expressão de Graham não se altera. Está parado como uma estátua. A única coisa que se mexe é o maxilar conforme ele o move para a frente e para trás. E, então, ele estreita os olhos e inclina a cabeça.

— Você não acredita que eu ame você, Quinn?

— Sei que costumava amar. Mas não creio que ame a pessoa que me tornei.

Graham se endireita. Ele se inclina para a frente, olhando intensamente em meus olhos. Suas palavras soam entrecortadas quando fala:

— Tenho amado você a cada segundo de todos os dias, desde a primeira vez que vi você. Eu te amo hoje mais que no dia em que nos casamos. Eu amo você, Quinn. Caralho, eu *amo* você!

Ele abre a porta do carro, salta, então a bate com toda a força. O carro inteiro balança. Ele caminha na direção de casa, mas, antes de chegar à porta da frente, dá meia-volta e aponta para mim.

— Eu *amo* você, Quinn!

Ele está gritando. Está furioso. *Tão* furioso.

Graham vai até o próprio carro e chuta o para-choque dianteiro com o pé descalço. Ele chuta e chuta e chuta e, então, faz uma pausa para gritar comigo outra vez.

— Eu *amo* você!

Esmurra o teto do carro, repetidas vezes, até que finalmente desmorona contra o capô, a cabeça enterrada nos braços. Continua nessa posição por um minuto inteiro, o único movimento é o sutil sacudir de seus ombros. Não me mexo. Acho que nem mesmo respiro.

Enfim, Graham se afasta do capô e usa a camisa para enxugar os olhos. Ele olha para mim, completamente derrotado.

— Eu amo você — murmura, balançando a cabeça. — Sempre te amei. Não importa o quanto você deseje o contrário.

Capítulo vinte e um

Antes

Por razões óbvias, nunca pedi nenhum favor a minha mãe. E é justamente por isso que liguei para meu padrasto e pedi permissão para usar sua casa de praia, em Cape Cod. Ele a aluga na maior parte do tempo, e está sempre ocupada no verão. Mas estamos em fevereiro, e a casa ficou vazia a maior parte do inverno. Precisei engolir o orgulho ao fazer o pedido, mas foi muito mais fácil do que se tivesse que falar com minha mãe. Ela deixou explícito, inúmeras vezes desde que conheceu Graham, que eu podia ter arrumado um partido melhor. Na sua opinião, melhor partido significa alguém com uma casa de praia própria, e assim eu nunca precisaria pegar a dela emprestada para o fim de semana.

Graham ficou andando pela casa por uma hora desde que chegamos aqui, reparando nas coisas com o entusiasmo de uma criança na manhã de Natal.

Quinn, olhe só essa vista!
Quinn, venha ver essa banheira!
Quinn, você viu a braseira?
Quinn, eles têm caiaques!

Desde então, sua animação já diminuiu um pouco. Acabamos de jantar, e fui tomar um banho enquanto Graham acendia o fogo.

Está quente, incomum para um fevereiro em Massachusetts, mas, mesmo em um dia agradável de inverno, mal chega aos dez graus, e a zero grau à noite. Levo um cobertor comigo até a braseira e me aconchego a Graham no sofá do pátio.

Ele me puxa ainda mais para perto, me envolvendo com um dos braços, enquanto pouso a cabeça em seu ombro. Ele ajeita o cobertor ao nosso redor. Está frio, mas seu calor, somado ao do fogo, torna a temperatura tolerável. Confortável até.

Nunca vi Graham tão relaxado como agora, ouvindo o barulho do mar. Amo seu modo de observar as ondas, como se elas tivessem a resposta para todas as perguntas do mundo. Ele olha para o mar com o devido respeito.

— Que dia perfeito — comenta ele, baixinho.

Sorrio. Fico feliz de saber que um dia perfeito para ele me inclua. Já faz seis meses que estamos namorando. Às vezes olho para ele e sou invadida por uma afeição avassaladora, quase me sinto tentada a escrever cartões de agradecimento a nossos ex. Foi a melhor coisa que já me aconteceu.

É estranho se sentir tão feliz com alguém, amando tanto essa pessoa, e ao mesmo tempo ter um medo latente permeando tudo, de um modo que jamais sentiu antes de conhecê-la. O medo de perdê-la. O medo de magoá-la. Imagino que seja assim quando se tem filhos. Com certeza, é o mais incrível tipo de amor que se pode vivenciar, mas também o mais aterrorizante.

— Você quer ter filhos? — Praticamente deixo escapar a pergunta. Estava tudo tão quieto entre nós, e, de repente, quebro o silêncio com uma pergunta cuja resposta pode determinar nosso futuro. Sutileza não é meu forte.

— Lógico. E você?

— Sim. Quero um monte de filhos.

Graham solta uma risada.

— Quanto é um monte?

— Não sei. Mais de um, menos de cinco. — Afasto a cabeça de seu ombro e o encaro. — Acho que eu seria uma ótima mãe. Não quero me gabar, mas, se tivesse filhos, estou certa de que seriam os melhores filhos de todos os tempos.

— Não tenho dúvidas.

Apoio minha cabeça em seu ombro novamente. Ele me cobre a mão, que está sobre seu peito.

— Você sempre quis ser mãe?

— Sim. É meio constrangedor o quanto a ideia de ser mãe me empolga. A maioria das garotas cresce sonhando com uma carreira de sucesso. Sempre fiquei envergonhada em admitir que preferia trabalhar de casa e ter um monte de filhos.

— Não tem motivo para ficar constrangida.

— Tem, sim. Nos dias de hoje, a mulher deve querer mais que ser apenas mãe.

Graham me afasta de seu peito para alimentar o fogo. Pega duas toras pequenas e as leva até a braseira, então retoma o lugar ao meu lado.

— Devemos ser o que quisermos ser. Você pode ser um soldado, se quiser. Ou uma advogada. Ou uma executiva. Ou uma dona de casa. A única coisa que não deve é ficar com vergonha dos seus sonhos.

Eu o amo. Eu o amo tanto.

— Não quero apenas ser mãe. Algum dia, quero escrever um livro.

— Bem, com certeza já tem imaginação para isso, se levarmos em consideração todos os seus sonhos malucos.

— Eu deveria fazer um registro deles. — Dou uma risada.

Graham sorri para mim com uma expressão desconhecida no rosto. Estou prestes a perguntar no que está pensando, mas ele fala primeiro:

— Me pergunte de novo se quero ter filhos.

— Por quê? Mudou de ideia?

— Sim. Me pergunte de novo.

— Você quer ter filhos?

Ele sorri para mim.

— Só quero ter filhos se for com você. Quero ter um monte de filhos com você. Quero ver sua barriga crescer e observar enquanto você segura nosso bebê no colo pela primeira vez, e quero ver você chorar porque está delirantemente feliz. À noite, quero ficar parado na porta do quarto das crianças e ver você ninar nossos filhos enquanto canta para eles. Não consigo pensar em nada que queira mais do que fazer de você uma mãe.

Beijo seu ombro.

— Você sempre diz coisas tão doces. Queria saber me expressar tão bem quanto você.

— Você é uma escritora. É você que é boa com as palavras.

— Não estou falando de minhas habilidades de escrita. Com certeza, seria capaz de registrar o que sinto por você, mas jamais conseguiria declamar meus sentimentos, como você faz.

— Então faça isso — encoraja ele. — Me escreva uma carta de amor. Nunca recebi uma carta de amor antes.

— Não acredito nisso.

— Estou falando sério. Sempre quis receber uma.

Eu solto uma risada.

— Vou escrever uma carta de amor para você, seu meloso.

— É melhor que tenha mais de uma página. E quero que me conte tudo. O que pensou de mim a primeira vez que me viu. O que sentiu quando estávamos nos apaixonando. E quero que coloque seu perfume nela, como as garotas fazem no ensino médio.

— Mais alguma exigência?

— Não me oporia se colocasse uma foto de você nua no envelope.

Com certeza, posso fazer acontecer.

Graham me puxa para seu colo e monto em suas pernas. Ele nos cobre com a manta, fazendo um casulo para nós. Está vestindo um velho pijama de frio, então tenho uma noção bem distinta do que está pensando no momento.

— Você já fez amor ao ar livre num frio desse?

Sorrio contra sua boca.

— Não. Mas, curioso, é exatamente por isso que não estou usando lingerie.

As mãos de Graham agarram minha bunda, e ele geme ao levantar minha camisola. Eu me ergo um pouco, para que possa se livrar do pijama, em seguida baixo o quadril sobre ele, acomodando-o dentro de mim. Fazemos amor abrigados sob o cobertor, com o vaivém do oceano como trilha sonora. É o momento perfeito, no lugar perfeito, com a pessoa perfeita. E eu sei, sem sombra de dúvida, que vou citar esse instante quando escrever minha carta de amor para ele.

Capítulo vinte e dois

Agora

Ele beijou outra mulher.
Olho para a mensagem que estou prestes a enviar para Ava, mas, então, lembro que ela está algumas horas à frente. Eu me sentiria mal, sabendo que leria isso logo ao acordar. Eu o deleto.

Faz meia hora desde que Graham desistiu e voltou para dentro de casa, mas continuo sentada em meu carro. Acho que estou machucada demais para me mover. Não faço a menor ideia se a culpa é minha ou se a culpa é dele ou se não é culpa de ninguém. A única coisa que sei é que ele me magoou. E me magoou porque eu o tenho magoado. De forma alguma justifica o que ele fez, mas uma pessoa pode entender o comportamento de outra sem desculpá-la.

No momento, estamos tão cheios de dor que nem sei o que fazer. Não importa o quanto você ame alguém... a força desse amor nada significa se supera sua capacidade de perdoar.

Parte de mim se pergunta se qualquer um desses problemas existiria se tivéssemos conseguido ter um filho. Não sei ao certo se nosso casamento teria saído dos trilhos nesse caso, porque eu não estaria me sentindo tão arrasada como venho me sentindo nos últimos anos. E Graham não precisaria pisar em ovos perto de mim.

Mas, então, outra parte de mim se pergunta se não era inevitável. Talvez um filho não tivesse salvado nosso casamento e, em vez de sermos apenas um casal infeliz, seríamos uma família infeliz. E no que aquilo nos transformaria? Somente outro casal unido pelo bem dos filhos.

Imagino quantos casamentos teriam sobrevivido se não fosse pelas crianças geradas. Quantos casais continuariam a viver felizes para sempre sem as crianças como a cola que mantém a família unida?

Talvez devêssemos comprar um cachorro. Ver se isso resolveria as coisas.

Talvez fosse exatamente nisso que Graham estava pensando quando sentou em meu carro mais cedo e disse: "Por que nunca compramos um cachorro?"

Óbvio que era nisso que estava pensando. Ele tem tanta consciência de nossos problemas quanto eu. Faria sentido que nossa mente apontasse a mesma solução.

Quando o carro esfria, volto para casa e sento na beirada do sofá. Não quero ir até meu quarto, onde Graham está dormindo. Um minuto atrás, ele estava berrando que me ama com todas as forças. Foi um escândalo, tenho certeza de que todos os vizinhos acordaram com a gritaria e as batidas de seu punho no metal.

Mas, no momento, a casa está em silêncio. E esse silêncio entre nós é ensurdecedor; não creio que eu seja capaz de dormir.

No passado, tentamos fazer terapia, pensando que poderia ajudar com as questões que a infertilidade nos fazia enfrentar. Fiquei entediada. *Ele* ficou entediado. E então nos unimos para falar de quão entediante eram as sessões. Terapeutas não fazem outra coisa que não nos obrigar a encarar nossas imperfeições. Não era um problema para Graham, e não era um problema para mim. Conhecemos nossos defeitos. Nós os reconhecemos. Meu defeito é não conseguir engravidar, e isso me deixa triste. O defeito de Graham é não conseguir resolver meu problema, e isso *o* deixa triste. Não há cura mágica pela terapia. Não importa quanto tempo passemos tentando lidar com nossas questões emocionais, nenhum terapeuta no mundo pode me fazer engravidar. Portanto, terapia é apenas mais um sinal de menos em uma conta bancária já negativa.

Talvez a única solução para nós seja o divórcio. É estranho pensar em me divorciar de alguém que amo. Mas penso bastante nisso. Penso no tempo que Graham está desperdiçando comigo. Ele ficaria triste se eu o deixasse, mas encontraria alguém. Ele é bom demais para ficar sozinho. Vai se apaixonar de novo, gerar um bebê e voltar ao ciclo da vida, do qual o arranquei. Imaginar Graham sendo pai um dia sempre me faz sorrir... mesmo que o cenário que o permita ser pai não me inclua como mãe.

Acho que o único motivo para jamais ter desistido completamente dele tem a ver com milagres. Leio artigos, livros e posts de mães que tentaram conceber por anos e, então, assim que estão prestes a desistir, *voilà! Grávida!*

Os milagres me deram esperança. Esperança suficiente para continuar com Graham por mais um tempo para o caso de conseguirmos um milagre só nosso. Talvez esse milagre nos remendasse. Colocasse um Band-Aid em nosso casamento partido.

Quero odiá-lo por beijar outra pessoa. Mas não consigo, porque um pedaço de mim não o culpa. Venho lhe dando todos os motivos do mundo para me deixar. Já faz um tempo que não transamos, mas sei que não é por esse motivo que procurou algo fora do casamento. Graham passaria uma vida inteira sem sexo se eu lhe pedisse.

Ele se permitiu ferrar com tudo porque desistiu de nós.

Quando estava na faculdade, fui escolhida para escrever um artigo sobre um casal que continuava junto depois de sessenta anos. Os dois estavam na casa dos 80. Quando apareci para a entrevista, fiquei pasma com sua sintonia. Presumi que, após viver com alguém por sessenta anos, ambos estariam cansados um do outro. Mas eles se olhavam como se, de algum modo, ainda se respeitassem e se admirassem, mesmo depois de tudo pelo que haviam passado.

Fiz várias perguntas durante a entrevista, mas aquela que encerrou nossa conversa me causou um impacto profundo.

— Qual o segredo de um casamento tão perfeito? — perguntei.

O senhor se inclinou para a frente e me encarou, muito sério.

— Nosso casamento não é perfeito. *Nenhum* casamento é perfeito. Houve momentos em que ela desistiu de nós. Houve ainda mais vezes em que *eu* desisti de nós. O segredo para nossa longevidade é que jamais desistimos ao mesmo tempo.

Nunca vou me esquecer da honestidade na resposta daquele homem.

E agora acredito piamente que é o que estou vivenciando. Creio que é por isso que Graham fez o que fez. Porque desistiu de nós afinal. Ele não é um super-herói. Ele é humano. Não existe ninguém nesse mundo capaz de suportar tamanha indiferença. Graham havia sido nossa força no passado, e eu, sempre o elo mais fraco. Mas agora os papéis se inverteram e Graham se tornou, temporariamente, o elo mais fraco.

O problema é... também penso em desistir. Sinto que ambos desistimos ao mesmo tempo e que talvez não haja volta. Sei que poderia resolver tudo se o perdoasse e lhe dissesse para se esforçar mais, porém parte de mim se pergunta se é a escolha certa.

Por que lutar por algo que muito provavelmente nunca terá solução? Por quanto tempo um casal pode se apegar a um passado que os dois defendem para justificar um presente onde nenhum deles é feliz?

Não tenho dúvidas de que Graham e eu costumávamos ser perfeitos um para o outro. Mas, só porque costumávamos ser perfeitos um para o outro, não significa que somos perfeitos juntos agora. Longe disso.

Olho para o relógio, desejando que, num passe de mágica, pulasse o dia de amanhã. Tenho a impressão de que amanhã vai ser bem pior que hoje. Porque sinto que amanhã seremos forçados a tomar uma decisão.

Teremos que decidir se é chegada a hora de enfim abrir aquela caixa de madeira.

A ideia provoca uma reviravolta em meu estômago. Uma dor me rasga ao meio, e agarro minha camisa enquanto me inclino para a frente. Estou com o coração partido; chego a sentir na pele. Mas não choro porque, na atual situação, minhas lágrimas me causam ainda mais sofrimento.

Caminho até o quarto com os olhos secos. É o máximo de tempo que passei sem derramar uma única lágrima nas últimas 24 horas. Abro a porta de nosso quarto, esperando ver Graham dormindo. Em vez disso, ele está sentado, encostado à cabeceira da cama. Os óculos de leitura se equilibram na ponta de seu nariz, e ele tem um livro no colo. O abajur ao seu lado está aceso, e nossos olhares se cruzam por um breve instante.

Eu me enfio na cama, de costas para ele. Acredito que estejamos os dois arrasados demais para sequer retomar nossa discussão esta noite. Ele continua lendo o livro, e faço o melhor que posso para tentar cair no sono. No entanto, minha mente está inquieta.

Vários minutos se passam, e saber que ele está ao meu lado não me deixa relaxar. Ele parece notar que estou acordada porque ouço quando fecha o livro e o coloca sobre a mesa de cabeceira.

— Pedi demissão hoje.

Não digo nada em resposta a sua confissão. Apenas fito a parede.

— Sei que você acha que saí para o trabalho de manhã e larguei você aqui, trancada nesse quarto.

Ele tem razão. Foi exatamente o que pensei.

— Mas só saí de casa porque precisava pedir demissão. Não posso trabalhar no lugar onde cometi o maior erro de minha vida. Vou começar a procurar um novo emprego na semana que vem.

Fecho os olhos com força e puxo as cobertas até o queixo. Ele desliga o abajur, deixando evidente que não precisa de minha resposta. Depois que se deita, deixo escapar um suspiro de alívio ao saber que não vai mais trabalhar com Andrea. Ele parou de desistir. Está tentando outra vez. Ainda acredita que existe uma possibilidade de nosso casamento voltar a ser o que era.

Sinto pena dele. E se estiver errado?

Esses pensamentos me atormentam por mais uma hora. De algum modo, Graham cai no sono... pelo menos, acho que está dormindo. Senão, está fingindo bem.

Mas não consigo dormir. As lágrimas ameaçam cair, e a dor em meu estômago só piora. Eu me levanto e tomo uma aspirina, mas, quando volto para cama, começo a me questionar se agonia emocional pode, de fato, se manifestar como dor física.

Alguma coisa não está certa.

Não deveria doer tanto.

Sinto uma dor aguda. Uma dor profunda. Uma dor forte o bastante para eu rolar de lado. Agarro o cobertor com punhos cerrados e encolho as pernas na direção da barriga. Quando faço isso, eu sinto. Escorregadio e molhado, por todo o lençol.

— Graham. — Tento estender a mão em sua direção, mas ele já está se virando para acender a luz. Outra pontada, tão intensa que me faz perder o fôlego.

— Quinn?

Sua mão toca meu ombro. Ele afasta as cobertas. O que quer que vê o faz pular da cama. As luzes estão acesas, e ele me pega no colo, me dizendo que vai ficar tudo bem, me carregando até o carro, ele acelera, eu suo, olho para baixo, estou coberta de sangue.

— Graham.

Estou apavorada, e ele pega minha mão e a aperta, dizendo:

— Está tudo bem, Quinn. Estamos quase chegando. Estamos quase chegando.

Tudo fica confuso depois disso.

Alguns detalhes se destacam. A lâmpada fluorescente sobre minha cabeça. A mão de Graham envolvendo a minha. Palavras que não quero ouvir, como *aborto* e *hemorragia* e *cirurgia*.

Palavras que Graham está dizendo ao telefone, provavelmente para a mãe, enquanto segura minha mão. Ele sussurra porque pensa que estou dormindo. Parte de mim está, a maior parte, não. Sei que não está falando de coisas que *poderiam* acontecer. Elas *já* aconteceram. Não vou entrar em cirurgia. Acabei de sair de uma.

Graham desliga. Seus lábios tocam minha testa, e ele murmura meu nome.

— Quinn?

Abro os olhos e encontro os seus. Seus olhos estão vermelhos, e há um vinco profundo entre suas sobrancelhas que eu nunca vi antes. É recente, provavelmente consequência do que está acontecendo agora. Eu me pergunto se vou me lembrar desse momento toda vez que olhar aquela ruga.

— O que aconteceu?

O vinco entre seus olhos se acentua. Ele passa a mão em meu cabelo e solta as palavras com cuidado:

— Você sofreu um aborto, ontem à noite — confirma ele. Os olhos procuram os meus, se preparando para qualquer que seja minha reação.

É curioso que meu corpo não dê nenhuma pista. Sei que devo estar muito medicada, mas não é algo que eu deveria sentir? Que havia uma vida crescendo dentro de mim que não existe mais? Coloco a mão em meu ventre, imaginando como pude não ter me dado conta. Há quanto tempo estava grávida? Quanto tempo se passara desde a última vez que transamos? Mais de dois meses. Quase três.

— Graham — sussurro. Ele pega minha mão e a aperta. Sei que deveria estar tão arrasada nesse momento que nem mesmo um fio de alegria ou alívio poderia se infiltrar em minha alma. Mas, de algum modo, não sinto a angústia que deveria acompanhar esse momento. Sinto esperança. — Eu estava grávida? Finalmente engravidamos?

Não sei como consigo me concentrar apenas no lado positivo de toda essa situação, mas, depois de anos de constantes fracassos, não posso evitar... encaro isso como um sinal. *Fiquei grávida. Conseguimos um milagre parcial.*

Uma lágrima escorre do olho de Graham e cai em meu braço. Baixo o olhar para a lágrima e a observo deslizar por minha pele. Meus olhos voltam a encontrar os dele, e percebo que nem uma única parte de Graham é capaz de ver o lado positivo dessa situação.

— Quinn...

Outra lágrima cai de seu olho. Em todos os anos que o conheço, nunca o vi tão triste. Balanço a cabeça, porque o que quer que o deixe assim tão apavorado de falar não é algo que eu queira ouvir.

Graham aperta minha mão de novo e me olha com tanta tristeza que preciso desviar o olhar quando ele começa.

— Quando chegamos aqui ontem à noite...

Tento bloquear suas palavras, mas meus ouvidos se recusam a me obedecer.

— Você estava tendo uma hemorragia.

A palavra "não" está se repetindo, e não faço ideia se vem de minha boca ou se ecoa em minha cabeça.

— Você precisou fazer...

Eu me encolho e abraço os joelhos, cerrando os olhos com força. Logo que escuto a palavra *histerectomia* começo a chorar. *Soluçar.*

Graham se esgueira para a cama de hospital e me envolve em seus braços, me amparando enquanto enterramos os últimos pingos de esperança que ainda nos haviam restado.

Capítulo vinte e três

Antes

É nossa última noite na casa de praia. Voltamos para Connecticut pela manhã. Graham tem uma reunião amanhã à tarde. Tenho que lavar roupa antes de voltar ao trabalho, na terça-feira. Nenhum dos dois está pronto para ir embora ainda. Tem sido tranquilo e perfeito, e já estou ansiosa para voltar aqui com ele. Nem me importo se tiver que puxar o saco de minha mãe por um mês inteiro para planejar nossa próxima escapada. É um preço que estou disposta a pagar por outro fim de semana de perfeição.

Está um pouco mais frio esta noite que nas últimas duas que passamos aqui, mas gosto disso. Liguei o aquecedor da casa no máximo. Congelamos nossa bunda por horas perto da braseira, então nos aconchegamos na cama para descongelar. É uma rotina da qual jamais me cansaria.

Acabei de preparar duas canecas de chocolate quente para nós. Eu as levo para fora e entrego uma para Graham, depois me sento ao seu lado.

— Ok — diz ele. — Próxima pergunta.

Hoje de manhã, Graham descobriu que, embora eu ame observar as ondas, na verdade jamais coloquei o pé no oceano. Ele passou a maior parte do dia tentando descobrir outras coisas que não sabia sobre mim. Agora, virou um jogo e estamos alternando perguntas, querendo descobrir tudo o que há para se descobrir sobre o outro.

Na primeira noite que passamos juntos, ele mencionou que não discutia religião ou política. Mas já faz seis meses e estou curiosa para saber suas opiniões.

— Ainda nem conversamos sobre religião — argumento. — Ou política. Ainda são tópicos proibidos?

Graham encosta a borda da xícara nos lábios e suga um marshmallow.

— O que quer saber?

— Você é Republicano ou Democrata?

Ele nem mesmo hesita.

— Nenhum dos dois. Não suporto os radicais em ambos os lados, então acho que sou de centro.

— Então você é uma *dessas* pessoas.

Ele inclina a cabeça.

— Que pessoas?

— O tipo que finge concordar com qualquer opinião para ficar em paz.

Graham arqueia uma sobrancelha.

— Ah, eu tenho opiniões, Quinn. Bem fortes.

Encolho as pernas e as ajeito sob o corpo, encarando-o.

— Quero ouvir suas opiniões.

— O que quer saber?

— Tudo. — Eu o desafio. — Sua posição em relação ao controle de armas. Imigração. Aborto. *Tudo* isso.

Amo a empolgação em seu rosto, como se ele estivesse se preparando para uma palestra. É adorável como uma palestra tem o poder de animá-lo.

Ele pousa a caneca de chocolate quente na mesa ao seu lado.

— Ok... Vamos ver. Não acho que devemos privar o cidadão do direito de ter uma arma. Mas penso que deveria ser uma dificuldade enorme colocar as mãos em uma. Acredito que as mulheres deveriam decidir o que fazer com seu corpo, desde que seja no primeiro trimestre ou quando se trata de uma urgência médica. Acho os programas de governo absolutamente necessários, mas também acho que um processo mais sistemático precisa ser posto em prática, algo que encoraje as pessoas a deixar o assistencialismo, em vez de continuar a viver da assistência social. Acho que devemos abrir as fronteiras para imigrantes, desde que se legalizem e paguem impostos. Cuidados de saúde básicos deveriam ser um direito humano fundamental, não um luxo que somente os ricos podem pagar. Penso que empréstimos estudantis deveriam ser automaticamente aprovados e, então, quitados à prestação, em um período de vinte anos. Acho que atletas recebem salários altos demais, professores são mal remunerados, a NASA é subfinanciada, a maconha deveria ser legalizada, as pessoas deveriam ser livres para amar quem quisessem e o Wi-Fi deveria ser acessível e gratuito para todos. — Quando termina, calmamente estende a mão para sua caneca de chocolate quente e a leva de novo à boca. — Você ainda me ama?

— Mais que dois minutos atrás. — Beijo seu ombro, e ele me envolve com o braço, me puxando para si.

— Bem, foi mais fácil do que pensei que seria.

— Não fique aliviado ainda — aviso a ele. — Ainda não discutimos religião. Você acredita em Deus?

Graham desvia o olhar e observa o mar. Ele acaricia meu ombro e pondera sobre minha pergunta por um momento.

— Não costumava acreditar.

— Mas acredita agora?

— Sim. Agora acredito.

— O que fez você mudar de ideia?

— Algumas coisas. — Ele gesticula com a cabeça em direção ao mar. — *Aquilo* é uma delas. Como algo tão magnífico e poderoso pode existir sem que tenha sido criado por alguma coisa ainda mais magnífica e poderosa?

Admiro a água em sua companhia quando me pergunta no que acredito. Dou de ombros.

— Religião não é um dos fortes de minha mãe, mas sempre acreditei que exista algo mais grandioso que nós por aí. Apenas não sei exatamente o que é. Acho que ninguém sabe ao certo.

— É o que chamam de fé — argumenta ele.

— Então... Como um homem de números e ciência concilia conhecimento e fé?

Graham sorri quando faço a pergunta, como se estivesse morrendo de vontade de discutir o assunto. Eu o amo por isso. Ele tem um adorável lado nerd que se manifesta às vezes, e o torna ainda mais atraente.

— Sabe quão antiga é a Terra, Quinn?

— Não, mas aposto que estou prestes a descobrir.

— Ela tem quatro *bilhões* e meio de anos. — Sua voz transborda de encantamento, como se fosse seu assunto predileto. — Sabe há quanto tempo nossa espécie surgiu?

— Não faço a menor ideia.

— Há apenas duzentos mil anos. Há apenas duzentos mil anos dentro de quatro *bilhões* e meio de anos. É inacreditável. — Ele segura minha mão e a coloca sobre sua coxa. Então começa a contornar lentamente o dorso de minha mão com um dedo. — Se as costas de sua mão representassem a idade da Terra e de cada espécie que já viveu, toda a raça humana não seria nem ao menos visível a olho nu. — Graham arrasta os dedos até o centro do dorso de minha mão e aponta para um pequeno sinal. — Do início dos tempos até hoje, poderíamos reunir cada ser humano que já caminhou sobre a terra, todos os seus problemas e preocupações, e o resultado nem ao menos chegaria ao tamanho desse sinal aqui. — Ele bate de leve em minha mão. — Cada uma de suas experiências de vida poderia caber aqui, nessa pequena pinta. Assim como as minhas. E as de Beyoncé.

Eu solto uma risada.

— Quando você analisa a existência da Terra como um todo, não somos nada. Nem sequer estamos aqui há tempo suficiente para ter o direito de nos gabar. No entanto, os seres humanos acham que são o centro do universo. Nos concentramos nas mais estúpidas, mais mundanas questões. Nos estressamos com coisas sem qualquer significado para o universo, quando devíamos apenas nos sentir gratos porque a evolução deu a nossa espécie a chance de *ter* problemas. Porque algum dia... os seres humanos deixarão de existir. A história se repetirá, e a Terra vai continuar com uma espécie completamente nova. Eu e você... somos apenas duas pessoas, dentro de uma raça inteira que, em retrospecto, ainda é bem menos impressionante, em termos de sustentabilidade, que um dinossauro. Apenas ainda não atingimos nossa data de validade. — Ele entrelaça os dedos nos meus e aperta minha mão.

"Com base em toda a evidência científica que prova o quão insignificantes somos, sempre achei difícil acreditar em Deus.

A pergunta mais pertinente teria sido: *Deus consegue acreditar em mim?* Porque muita coisa aconteceu na Terra em quatro bilhões e meio de anos para eu achar que um Deus possa se importar comigo ou com meus problemas. Mas recentemente concluí que não existe outra explicação para o modo como você e eu acabamos no mesmo planeta, na mesma espécie, no mesmo século, no mesmo país, no mesmo estado, na mesma cidade, no mesmo corredor, na frente da mesma porta, pela mesma razão, no mesmo instante. Se Deus não acreditasse em mim, então eu teria que acreditar que você foi só uma coincidência. E, para mim, você ser uma coincidência em minha vida é bem mais difícil de compreender que a mera existência de um poder supremo.

Ah.

Uau! Perdi o fôlego.

Graham me disse tantas coisas doces, mas isso não foi doce. Foi pura poesia. Foi além de mera expressão de sua inteligência, porque sei como é incrivelmente esperto. Foi uma oferenda. Ele me deu propósito. Graham me fez incrivelmente relevante — crucial — para si, quando nunca havia me sentido relevante, vital ou crucial para ninguém.

— Amo tanto você, Graham Wells. — É só o que consigo dizer porque não posso competir com o que ele acabou de falar. Nem mesmo tento.

— Me ama o bastante para se casar comigo?

Eu me desvencilho de seu braço e me endireito, ainda o encarando.

Ele realmente acabou de me pedir em casamento?

Foi tão espontâneo. Provavelmente, nem pensou direito no assunto. Ele ainda está sorrindo, mas, em alguns segundos, acho que é provável que comece a rir, porque as palavras lhe escaparam sem intenção, sem nem ao menos pensar. Sequer tem um anel, o que comprova que foi um acaso.

— Graham...

Ele enfia a mão debaixo do cobertor. Quando a mostra de novo, está segurando um anel. Sem caixa, sem embrulho, sem pretensão. Somente um anel. Um anel que vem carregando no bolso, à espera do momento no qual, de fato, *pensou*.

Levo as mãos à boca; estão tremendo porque eu não esperava por isso e estou sem fala e com medo de não conseguir responder a ele porque minha garganta está fechada, mas, de algum modo, consigo sussurrar as palavras.

— Ai, meu Deus.

Graham afasta minha mão esquerda da boca e segura o anel perto de meu dedo anelar, mas não tenta colocá-lo. Em vez disso, abaixa a cabeça para desviar minha atenção de volta a ele. Quando nossos olhares se encontram, ele me encara com toda a clareza e esperança do mundo.

— Seja minha esposa, Quinn. Enfrente os momentos de categoria 5 comigo.

Estou assentindo mesmo antes de ele terminar de falar. Assinto porque, se tentar dizer *sim*, vou começar a chorar. Nem posso acreditar que ele fez esse fim de semana perfeito ficar ainda melhor.

Assim que começo a fazer que sim com a cabeça, ele ri e deixa escapar um suspiro de alívio. E, quando coloca o anel em meu dedo, morde o lábio porque não quer que eu perceba que também está sem palavras.

— Não sabia que anel comprar — admite ele, voltando a olhar para mim. — Mas, quando o joalheiro me disse que o anel de noivado simboliza um laço infinito, sem começo, meio e fim, não quis quebrar esse laço com diamantes. Espero que goste.

    O anel é delicado, um aro de ouro, sem pedras. Não é um reflexo de quanto dinheiro Graham tem ou não. É um símbolo do quanto acredita que nosso amor vai durar. Uma eternidade.

    — É perfeito, Graham.

Capítulo vinte e quatro

Agora

— Gravidez ectópica cervical — explica ela. — Muito rara. Na verdade, a chance de uma mulher desenvolver esse tipo de gravidez ectópica é menos de um por cento.

Graham aperta minha mão. Estou deitada na cama do hospital, não querendo outra coisa que não a saída da médica do quarto para que eu possa voltar a dormir. Os medicamentos me deixam tão sonolenta que é difícil prestar atenção a tudo o que ela está dizendo. No entanto, sei que não preciso, porque Graham está atento a cada palavra que sai de sua boca. "Repouso absoluto por duas semanas" é a última coisa que a escuto falar antes de fechar os olhos. É Graham que ama matemática, mas sinto que serei eu a ficar obcecada com aquele menos de um por cento. As chances de engravidar depois de tantos anos de tentativas eram maiores que as chances de uma gravidez resultar em ruptura tubária.

— Qual foi a causa? — pergunta Graham.

— A endometriose, provavelmente. — Ela dá mais detalhes, mas eu a ignoro. Inclino a cabeça na direção de Graham e abro os olhos. Ele está encarando a médica, ouvindo a resposta. Mas posso notar a preocupação em seu semblante. A mão direita cobre a boca, a esquerda ainda segura a minha.

— Seria... — Ele abaixa o olhar até mim, e há tanta preocupação em seus olhos. — Seria possível o estresse ter causado o aborto?

— O aborto era inevitável com esse tipo de gravidez — responde ela. — Nada poderia ser feito para prolongá-la. Houve a ruptura porque uma gravidez ectópica não é viável.

Abortei há dezenove horas. Mas só nesse momento me dou conta de que Graham passou as últimas dezenove horas se sentindo, de algum modo, responsável. Tinha medo de que o estresse de nossa briga fosse a causa.

Depois que a médica sai do quarto, deslizo o polegar em sua mão. É um pequeno gesto, e um bem difícil devido à raiva que ainda sinto, mas ele nota de imediato.

— Você tem motivos para se sentir culpado, mas eu ter abortado não é um deles.

Graham me encara por um momento com olhos vazios e a alma atormentada. Então solta minha mão e sai do quarto. Não volta por meia hora, mas parece que esteve chorando.

Ele chorou algumas vezes em nosso casamento. Na verdade, nunca realmente presenciei o choro até ontem, mas já o vi logo após acontecer.

Graham passa as horas seguintes se certificando de que eu estou confortável. Minha mãe vem me visitar, mas finjo dormir. Ava liga, mas peço a Graham para dizer que estou dormindo. Passo a maior parte do dia e da noite tentando não pensar em nada do que está acontecendo, mas, toda vez que fecho os olhos, me pego desejando, pelo menos, ter descoberto antes. Mesmo que a gravidez tivesse o mesmo desfecho, fico zangada comigo mesma por não ter prestado mais atenção a meu corpo e assim podido aproveitar enquanto durou. Se tivesse prestado mais atenção, teria suspeitado que estava grávida. Teria feito um teste. Teria dado positivo. E então, só uma vez, Graham e eu conheceríamos a alegria de ser pais. Mesmo que fosse um sentimento fugaz.

É um pouco mórbido que eu estivesse disposta a passar por tudo isso novamente, se ao menos tivesse consciência de minha gravidez por um único dia. Após tantos anos de tentativas, parece cruel que nossa recompensa tenha sido um aborto, seguido por uma histerectomia, sem o atenuante de nos sentirmos pais, mesmo que por um momento.

Toda essa provação tem sido injusta e dolorosa. Mais ainda do que será minha recuperação. Por causa da ruptura e da hemorragia, os médicos precisaram fazer uma histerectomia abdominal de emergência, em vez de uma vaginal. O que significa um período de recuperação maior. É provável que continue no hospital por mais um ou dois dias antes de receber alta. Então vou ficar de cama por mais duas semanas.

Tudo parece tão indefinido entre nós. Não havíamos resolvido nada antes do aborto, e agora tenho a impressão de que a decisão que estávamos prestes a tomar fora colocada em suspenso. Porque não tenho condições de discutir o futuro de nosso casamento neste instante. Devem se passar semanas até que as coisas voltem ao normal.

Tão normal quanto as coisas podem ficar sem um útero.

— Não consegue dormir? — pergunta Graham. Ele não saiu do hospital o dia inteiro. Apenas deixou o quarto mais cedo, por meia hora, mas então voltou e tem se dividido entre o sofá e a cadeira ao lado de minha cama. No momento, está ocupando a cadeira, sentado na beirada, esperando que eu responda. Parece exausto, mas conheço Graham e ele não vai a lugar algum antes que eu receba alta. — Quer beber alguma coisa?

Balanço a cabeça.

— Não estou com sede. — A única luz acesa no quarto é a que fica atrás de minha cama, e ela faz Graham parecer alguém sob os holofotes de um palco solitário.

Sua necessidade de me consolar está em conflito com sua consciência da tensão que existe entre nós há tanto tempo. Mas ele luta contra a tensão e estende a mão para a grade da cama.

— Se importa se eu me deitar com você? — Ele já desceu a grade e está se esgueirando para a cama comigo quando balanço a cabeça. Graham toma o cuidado de me virar para que a mangueira do soro não fique esticada. Então se espreme ao meu lado, ocupando menos da metade da cama, e coloca uma das mãos sob minha cabeça, sacrificando o próprio conforto em meu benefício. Ele beija minha nuca. Uma parte de mim não tem certeza se o quero na cama comigo, mas logo me dou conta de que cair no sono em nossa tristeza partilhada é, de algum modo, mais reconfortante que dormir sozinha.

* * *

— Estou comprando uma passagem para casa — dispara Ava, antes mesmo que eu tenha a chance de dizer alô.

— Não, não faça isso. Estou bem.

— Quinn, sou sua irmã. Quero ficar com você.

— Não — insisto. — Vou ficar bem. Você está grávida. A última coisa de que precisa é passar um dia inteiro no avião.

Ela inspira fundo.

— Além do mais — continuo —, estou pensando em visitar você. — É mentira. Não tinha pensado nisso até agora. Mas a iminência de passar duas semanas de cama me faz compreender o quanto vou precisar colocar algum espaço entre nossa casa e eu quando enfim me recuperar.

— Mesmo? É possível? Quando você acha que vai estar liberada para viajar?

— Vou perguntar à médica quando ela me der alta.

— Por favor, não diga isso se não estiver falando sério.

— Estou falando sério. Acho que vai me fazer bem.

— E Graham? Ele já não vai usar todos os dias de férias em sua recuperação?

Não comento sobre os problemas de meu casamento com ninguém. Nem mesmo com Ava.

— Quero ir sozinha — digo. Não acrescento mais nada. Não lhe contei que Graham pediu demissão nem sobre ele ter beijado outra mulher. Mas, pelo silêncio na linha, posso dizer que ela sabe que algo está errado. Vou deixar para explicar tudo quando estivermos cara a cara.

— Tudo bem — concorda ela. — Fale com sua médica e me avise quando tiver uma data.

— Ok. Amo você.

— Também amo você.

Depois de desligar, ergo o olhar da cama do hospital e vejo Graham parado à porta. Espero ele dizer que não é uma boa ideia planejar uma viagem após ter passado por uma cirurgia. Em vez disso, ele apenas estuda a xícara de café em sua mão.

— Você vai visitar Ava?

Não cita *nós*. Parte de mim se sente culpada. Mas sem dúvida ele entende que preciso de espaço.

— Só quando a médica me liberar. Mas, sim. Preciso vê-la.

Ele não ergue o olhar da xícara. Apenas assente de leve e pergunta:

— Vai voltar?
— É óbvio.
É óbvio.

Não digo isso com muita convicção, mas há bastante certeza em minha voz para lhe assegurar de que não é uma separação. Apenas um tempo.

Ele engole em seco.

— Quanto tempo vai ficar fora?
— Não sei. Talvez umas duas semanas.

Graham assente com a cabeça e então toma um gole de sua xícara enquanto sai pela porta.

— Temos algumas milhas no cartão. Me avise quando decidir a data, que compro sua passagem.

Capítulo vinte e cinco

Antes

Não me lembro de ter achado os planos de meu casamento com Ethan tão estressantes.

Talvez tenha sido porque deixei minha mãe assumir as rédeas naquela época e tinha muito pouco a ver com o planejamento em si. Mas dessa vez é diferente. Quero decidir com Graham o sabor do bolo. Quero decidir com Graham quem vamos convidar, onde vai ser e a que hora do dia desejamos nos unir pelo resto de nossas vidas. Mas minha mãe não para de tomar decisões que não quero que ela tome, não importa quantas vezes já tenha lhe pedido que pare.

"Só quero que tudo saia perfeito, Quinn", argumenta ela.

"Graham não pode pagar por isso, então só estou tentando ajudar", diz ela.

"Não se esqueça de assinar um acordo pré-nupcial", lembra ela.

"Nunca se sabe se seu padrasto vai deixar alguma coisa para você", comenta ela. "Melhor proteger seus bens."

Ela diz coisas que me fazem pensar se, para minha mãe, o casamento nada mais é que um empréstimo, não um compromisso de amor. Ela insiste tanto na ideia de um acordo pré-nupcial, mas se esquece de que, na atual situação, não tenho bens para proteger.

Além do mais, sei que Graham não está se casando comigo pelo dinheiro ou pelas propriedades que meu padrasto pode ou não me deixar um dia. Graham se casaria comigo mesmo que eu estivesse enterrada até o pescoço em dívidas.

Começo a me arrepender da ideia de um casamento sofisticado. Até compartilharia minha frustração com Graham, mas, se fizesse isso, teria que contar por que minha mãe está me enlouquecendo. A última coisa que quero é compartilhar com Graham toda a hipocrisia que minha mãe fala sobre ele.

Olho para meu celular enquanto outra mensagem de minha mãe aparece na tela.

> Você devia repensar a ideia de buffet, Quinn. Evelyn Bradbury contratou um chef exclusivo para o casamento dela e foi tão mais elegante.

Reviro os olhos e coloco o celular com o display para baixo evitando ser incomodada por suas mensagens.

Ouço a porta da frente do apartamento se fechar, então pego a escova. Finjo que estou apenas penteando o cabelo, e não emburrada, quando Graham entra. Apenas sua aparição já me acalma. Minha frustração some e é substituída por um sorriso. Graham me abraça por trás e beija meu pescoço.

— Oi, linda. — Ele ri para meu reflexo no espelho.

— Oi, lindo.

Ele me vira e me dá um beijo ainda mais gostoso.

— Como foi seu dia?

— Bom. E o seu?

— Bom.

Eu me desvencilho de Graham porque ele está me encarando com muita intensidade e posso, acidentalmente, deixar transparecer minhas verdadeiras emoções, e então ele vai me perguntar o que há de errado, e eu vou ter que contar a ele o quanto o casamento está me estressando.

Eu me viro para o espelho, torcendo para que vá até a sala ou a cozinha ou qualquer lugar de onde não possa me encarar como está fazendo neste exato momento.

— O que está incomodando você?

Às vezes odeio o quanto ele me conhece.

Exceto quando transamos. É bem conveniente durante o sexo.

— Por que você não pode ser indiferente ao estado emocional feminino como a maioria dos homens?

Ele sorri e me puxa para si.

— Se eu fosse indiferente a seu estado emocional, eu seria tão- -somente um homem apaixonado. Mas sou mais que isso. Sou sua alma gêmea e posso sentir tudo o que você está sentindo. — Ele pousa os lábios em minha testa. — Por que está triste, Quinn?

Suspiro, exasperada.

— Minha *mãe*. — Ele me solta, então caminho até o quarto e sento na cama. Deito de costas e fico olhando para o teto. — Ela está tentando transformar nosso casamento no casamento que tinha planejado para mim e Ethan. Nem me pergunta o que quero, Graham. Só toma as decisões e depois me comunica.

Graham sobe na cama e se deita ao meu lado, apoiando a cabeça sobre o cotovelo. Ele descansa a outra mão em minha barriga.

— Ontem, ela me contou que reservou o Douglas Whimberly Plaza para a data de nosso casamento. Ela nem me pergunta o que quero, mas, como está pagando, acha que isso dá a ela o direito de tomar todas as decisões. Hoje, ela me mandou uma mensagem, dizendo que encomendou os convites.

Graham faz uma careta.

— Isso significa que vai ter a palavra *prestigioso* em nosso convite de casamento?

Eu dou uma risada.

— Ficaria mais chocada se não tivesse. — Minha cabeça pende para o lado, e conjuro minha expressão mais patética, quase um beicinho. — Não quero um casamento grandioso, em um hotel de luxo, com todas as amigas de minha mãe.

— O que *você* quer?

— A essa altura, não sei nem se *quero* um casamento. — Graham inclina a cabeça, um pouco preocupado com meu comentário. Eu o retifico rapidamente: — Não é que não queira me casar com você. Apenas não quero casar com você no casamento dos sonhos de minha mãe.

Graham abre um sorriso reconfortante.

— Só faz três meses que estamos noivos. Ainda faltam cinco meses até o dia do casamento. Tempo mais que suficiente para você deixar clara sua posição e ter certeza de conseguir o que quer. Se for mais fácil, ponha a culpa em mim. Diga a ela que não concordei com nada, e ela pode me odiar por arruinar seu casamento dos sonhos enquanto mantenho a paz entre vocês.

Por que ele é tão perfeito?

— Não se importa mesmo que eu ponha a culpa em você?

Ele ri.

— Quinn, sua mãe já me odeia. Isso vai dar a ela um motivo a mais para esse ódio, então todo mundo sai ganhando. — Ele se levanta e tira os sapatos. — Vamos sair hoje à noite?

— Você decide. Ava e Reid compraram uma luta no Pay-Per-View e nos convidaram.

Graham desfaz o nó da gravata.

— Parece divertido. Preciso responder alguns e-mails, mas fico pronto em uma hora.

Eu o observo sair do quarto. Deito de novo na cama e sorrio, porque tenho a impressão de que ele acaba de encontrar, em menos de dois minutos, uma solução para algumas de minhas questões. Mas, mesmo que a solução pareça boa — *apenas coloque a culpa de tudo em Graham* —, minha mãe nunca vai morder a isca. Ela vai apenas frisar que Graham não está pagando pelo casamento, então Graham não tem direito de opinar.

Mas ainda assim. Ele *tentou* achar uma solução. É o que conta, certo? Estava disposto a levar a culpa por algo só para manter a paz entre minha mãe e eu.

Mal posso acreditar que vou me casar com esse homem daqui a cinco meses. Mal posso acreditar que vou passar o resto da vida com ele. Mesmo que essa vida com ele comece no Douglas Whimberly Plaza, cercada por pessoas que mal conheço e comida extremamente cara, sinônimo de bandejas cheias de carne crua e ceviche que, na verdade, ninguém gosta de comer, mas finge que sim, porque é chique.

Ah, bem. O casamento pode não ser o ideal, mas o que são algumas horas de sofrimento em troca de uma vida de perfeição?

Eu me arrasto para fora da cama, comprometida em, seja como for, me manter sã pelos próximos cinco meses. Passo a meia hora seguinte me aprontando para nosso compromisso. Graham e eu saímos com um monte de amigos nos fins de semana, mas costumamos passar a maior parte desse tempo com Ava e Reid. Eles se casaram pouco antes de eu conhecer Graham. Ava foi esperta. Casou com Reid em Las Vegas. Minha mãe não pôde encomendar os convites ou alugar o local ou, até mesmo, escolher o bolo que mais gostou. Eu era a única que sabia que os dois haviam viajado para Las Vegas para se casar, e, secretamente, invejei a decisão.

Estou abotoando o jeans quando Graham entra no banheiro.

— Está pronta?

— Quase. Falta botar o sapato. — Caminho até o closet, e Graham me segue até lá. Ele se inclina contra o batente da porta e me observa enquanto procuro um par de sapatos. Preciso me vestir bem para o trabalho todos os dias, então uma noite descontraída na casa de Ava e Reid é uma bela folga dos saltos e roupa de trabalho que uso no dia a dia. Estou vasculhando minha prateleira de sapatos, tentando encontrar meu par confortável predileto. Graham me observa o tempo todo. Olho em sua direção algumas vezes, e não posso evitar a sensação de que está armando alguma coisa. Está com um sorriso irônico no rosto. É quase imperceptível, mas está lá.

— O que foi?

Ele descruza os braços e enfia as mãos nos bolsos do jeans.

— E se eu contar a você que passei a última meia hora reorganizando os planos de nosso casamento?

Eu me endireito. Decididamente, agora ele tem toda a minha atenção.

— O que quer dizer?

Ele inspira fundo, como se tentasse se acalmar. Saber que se sente nervoso com o que está prestes a dizer *me* deixa nervosa com o que ele está prestes a dizer.

— Não me importo com os detalhes de nosso casamento, Quinn. Podemos ter qualquer tipo de cerimônia que quiser, se o resultado final for você como minha esposa. Mas... — Ele entra no closet e para a um passo de mim. — Se a única coisa que quer desse casamento sou eu, o que estamos esperando? Vamos casar de uma vez. Esse fim de semana. — Antes que eu possa responder, ele pega minhas mãos e as aperta. — Reservei a casa de praia até a próxima segunda-feira. Conversei com um pastor que está disposto a celebrar o casamento na propriedade; vai até levar uma testemunha para que não precisemos contar a ninguém. Seremos só você e eu. Vamos nos casar amanhã à tarde, à beira do mar, e então, amanhã à noite, podemos nos sentar perto do fogo, onde a pedi em casamento. Vamos passar a noite inteira comendo marshmallow e perguntando coisas um ao outro, e depois vamos fazer amor e dormir, e acordar casados no domingo.

Fico sem palavras, quase como no momento que me pediu em casamento. E, como há três meses, quando estava muito empolgada e atônita para sequer dizer sim, apenas assinto. Efusivamente. E eu rio e o abraço e o beijo.

— É perfeito, é perfeito, eu amo você, é *perfeito*.

Tiramos uma mala do closet e começamos a arrumar tudo. Decidimos não contar a ninguém. Nem mesmo para a mãe dele.

— Podemos contar amanhã, depois de casados — diz Graham.

Não consigo parar de sorrir, embora saiba que minha mãe vai surtar quando eu ligar, amanhã à noite, para lhe contar que já estamos casados.

— Minha mãe vai nos matar.

— Provavelmente. Mas é melhor pedir perdão do que permissão.

Capítulo vinte e seis

Agora

Amanhã faz três semanas que cheguei à casa de Ava, e não ouço a voz de Graham desde que ele me deixou no aeroporto.

Ele me ligou uma vez, na semana passada, mas não atendi o celular. Mandei uma mensagem, dizendo que precisava de tempo para pensar. Ele respondeu com um *Me ligue quando estiver pronta*. Desde então, não me mandou mais nenhuma mensagem, e ainda não me sinto pronta para ligar.

Apesar de me sentir péssima, gosto mesmo de estar aqui com Ava. Não sei ao certo se porque tudo é novo e diferente, ou se porque me sinto alheia a todos os meus problemas. Não tenho passeado muito, por causa de meu estado. Meu corpo ainda está dolorido e mais fraco do que de costume. Mas a casa de Ava e Reid é linda e relaxante, por isso não me importo em passar a maior parte do tempo aqui. Já faz tanto tempo desde que Ava e eu tivemos um momento só para nós, então tenho aproveitado bastante, independentemente das circunstâncias de meu casamento.

No entanto, sinto falta de Graham. Mas sinto falta do Graham que se casou com a minha versão feliz. Combinávamos mais no início do que agora. Sei que é porque minhas peças do quebra-

-cabeça mudaram de forma mais que as dele. Mas, embora me sinta a parte mais culpada do fracasso de nosso relacionamento, ainda assim isso não muda nada.

Essa viagem tem sido exatamente o que minha mente precisava... uma mudança de ritmo mais que necessária. Pela primeira vez, conversei honestamente com Ava sobre tudo o que estava acontecendo entre Graham e eu. O que mais gosto em minha irmã é que ela sabe escutar sem dar conselhos. Não preciso mesmo disso. Conselhos não vão mudar como me sinto. Não vão mudar o fato de que não posso engravidar. Conselhos não vão mudar o fato de que Graham disse que se sentia arrasado por ainda não ser pai. Conselhos são bons apenas para elevar a autoestima de quem os dá. Então, em vez de conselhos, ela tem providenciado distração. Não apenas de Graham, mas de nossa mãe. Do trabalho. Da infertilidade. De Connecticut. *Da minha vida inteira.*

— Que tal essa cor? — Ava ergue uma amostra de tinta amarela.

— Muito... canário — respondo.

Ela baixa o olhar para a amostra e ri.

— É exatamente como é chamada. Canário.

Reid caminha até o fogão e levanta a tampa de uma panela, sentindo o cheiro do molho que está preparando. Estou sentada no bar com Ava, pesquisando possíveis cores para o quarto do bebê.

— Se soubéssemos o sexo, seria bem mais simples — argumenta Reid, tampando a panela outra vez, depois desliga o fogo.

— Não. — Ava se afasta do bar. — Decidimos que não queríamos saber. Só faltam dez semanas. Tenha paciência. — Ela pega três pratos do armário da louça e os leva até a mesa. Acrescento os talheres e os guardanapos enquanto Reid traz o macarrão.

Nenhum dos dois me fez sentir como se estivesse atrapalhando, mas começo a me preocupar que esteja. Três semanas é muito tempo para se hospedar na casa de alguém.

— Devo voltar para casa essa semana — aviso, enquanto me sirvo de uma colher de macarrão.

— Não vá por nossa causa — diz Reid. — Gosto de ter você por aqui. Me deixa mais tranquilo quando estou viajando.

Reid passa duas ou três noites por semana longe de casa, e, com Ava grávida, ele se preocupa em deixá-la sozinha mais do que ela gostaria.

— Não sei por que minha presença o tranquiliza. Ava é mais corajosa que eu.

— É verdade — concorda ela. — Uma vez, fomos a uma casa mal-assombrada e Freddy Krueger surgiu do nada. Quinn me empurrou para cima dele e saiu correndo de volta para a entrada.

— Não — retruco. — Eu empurrei você em cima de Jason Voorhees.

— De qualquer maneira, quase morri — diz Ava.

— Você acha que pode voltar daqui a dois meses, quando Ava tiver o bebê?

— Com certeza.

— Traga Graham da próxima vez — pede Reid. — Sinto falta dele.

Graham e Reid sempre se deram bem. Mas sei, pelo modo como Ava me olha, que ela não contou a ele os problemas entre nós dois. Fico agradecida por isso.

Enrolo o macarrão no garfo, ponderando o quanto tenho me sentido solitária desde que Ava e Reid se mudaram de Connecticut, mas essa é a primeira vez que me dou conta do quanto a mudança também deve ter afetado Graham. Ele perdeu um amigo com a transferência de Reid. Com certeza, seu amigo mais próximo depois de Tanner. Mas ele nunca, nem ao menos uma vez, tocou no assunto, porque minha tristeza preenche a casa, não deixando espaço para a dele.

Pelo restante do jantar, tudo em que consigo pensar são as coisas que Graham não deve me contar porque não quer me sobrecarregar com sua tristeza. Quando terminamos de comer, me ofereço para lavar a louça. Reid e Ava estão sentados à mesa, debruçados sobre mais amostras de cores para o quarto do bebê quando a campainha toca.

— Estranho — diz Ava.

— Muito estranho — concorda Reid.

— Vocês nunca recebem visitas?

Reid se levanta da mesa.

— Nunca. Ainda não conhecemos ninguém bem o suficiente para que venham a nossa casa.

Ele caminha até a porta, e Ava e eu ficamos observando enquanto a abre.

A última pessoa que imagino ver parada na entrada é Graham.

Minhas mãos estão cobertas de espuma, e continuo imóvel enquanto Reid e Graham se cumprimentam com um abraço. Reid o ajuda com a mala, e, assim que Graham atravessa a porta, seus olhos procuram os meus.

Quando finalmente me vê, é como se seu corpo inteiro relaxasse. Reid está sorrindo, olhando de um para o outro, na expectativa do reencontro surpresa. Mas não corro para Graham, e ele não corre para mim. Apenas nos encaramos em silêncio por um instante. O instante é um tanto longo. Longo o bastante para Reid perceber a tensão nesse reencontro.

Ele pigarreia e pega a mala de Graham.

— Vou... levar sua bagagem para o quarto de hóspedes.

— Vou ajudar você — diz Ava, levantando-se depressa. Quando os dois desaparecem no corredor, enfim saio de meu transe e tiro as mãos da água e as seco em um pano de prato. Lentamente, Graham atravessa a cozinha, todo o tempo me encarando com cautela.

Meu coração está acelerado com a visão de meu marido. Não me dei conta do quanto senti sua falta, mas não creio que seja esse o motivo das batidas descontroladas de meu coração. Minha pulsação está fora de controle porque sua presença significa confronto. E confronto significa uma decisão. Não tenho certeza se já estou pronta para isso. É o único motivo pelo qual me mantive escondida na casa de minha irmã, a meio mundo de Graham.

— Oi — cumprimenta ele. Uma palavra tão simples, mas parece mais séria que qualquer coisa que já me disse. Imagino que seja o resultado de mais de três semanas sem falar com meu marido.

— Oi. — Minha resposta soa cautelosa. Mas não tão cautelosa quanto o abraço que eventualmente lhe dou. É rápido e impessoal, e quero tentar outra vez assim que me afasto, mas, em vez disso, estendo a mão para a pia e removo o ralo. — Que surpresa.

Graham dá de ombros, apoiando-se ao meu lado no balcão. Ele examina a cozinha e a sala de estar com uma espiadela, antes de procurar meus olhos outra vez.

— Como está se sentindo?

Assinto com a cabeça.

— Bem. Ainda estou um pouco dolorida, mas tenho conseguido descansar bastante. — Surpreendentemente, eu me sinto mesmo bem. — Pensei que ficaria mais triste, mas me dei conta de que já havia me conformado com a inutilidade de meu útero, então que importa se não faz mais parte de meu corpo?

Graham me encara em silêncio, não sabendo ao certo como responder. Não espero que o faça, mas seu silêncio me dá vontade de gritar. Não sei o que veio fazer aqui. Não sei o que devo falar. Estou furiosa com sua súbita aparição, e furiosa porque estou feliz em vê-lo.

Passo a mão pela testa e apoio as costas no balcão, ao seu lado.

— O que está fazendo aqui, Graham?

Ele se inclina em minha direção e me olha com sinceridade.

— Não aguento nem mais um dia, Quinn. — Seu tom é baixo e suplicante. — Preciso que faça sua escolha. Ou me deixa de uma vez por todas, ou volta para casa comigo. — Ele estende os braços para mim e me prende em um abraço. — Volte para a casa comigo — repete em um sussurro.

Fecho os olhos e inspiro seu perfume. Quero tanto lhe dizer que o perdoo. Que não o culpo pelo que fez.

Sim, Graham beijar outra pessoa que não eu é a pior coisa que fez em todo o nosso relacionamento. Mas não sou completamente inocente nessa situação.

Perdoá-lo sequer é o motivo de minha preocupação.

Estou preocupada com o que acontece *depois* de perdoá-lo. Tínhamos problemas antes que ele beijasse outra mulher. Ainda teremos os mesmos problemas se eu o perdoar. Aquela noite no carro, antes do aborto, Graham e eu brigamos por causa da traição. Mas, essa noite, assim que abrirmos as comportas... a verdadeira briga vai começar. É quando vamos conversar sobre todas as questões que causaram todas as outras questões que resultaram em nossas atuais questões. Essa é a conversa que tenho tentado evitar já há alguns anos.

A conversa que está prestes a acontecer porque ele simplesmente voou meio mundo para me confrontar.

Eu me afasto de Graham, mas, antes que possa falar, Reid e Ava nos interrompem, apenas por um momento.

— Vamos sair para comer uma sobremesa — avisa Ava, colocando o casaco.

Reid abre a porta da frente.

— Vemos vocês em uma hora. — Ele fecha a porta, e, de repente, Graham e eu estamos sozinhos na casa, a meio mundo de nosso lar. Meio mundo longe do conforto de nossa negação.

— Você deve estar exausto — comento. — Quer dormir antes? Ou comer?

— Estou bem — responde ele, depressa.

Eu assinto, me dando conta da fatalidade dessa conversa. Ele nem ao menos quer água ou comida antes de começarmos. E não posso fazer nada, a não ser ficar aqui parada, como se estivesse tentando me decidir entre conversar com ele ou fugir, e assim continuar a evitar tudo isso. Jamais houve tamanha tensão entre nós enquanto analisamos nossos próximos passos.

Por fim, ele vai até a mesa. Eu o sigo, e sento a sua frente. Ele cruza os braços sobre a mesa e me encara.

Ele é tão bonito. Todas as vezes que me esquivei no passado, não foi por não me sentir atraída por ele. Esse nunca foi o problema. Mesmo agora, após um dia inteiro de viagem, ele está ainda melhor do que no dia que o conheci. Sempre é assim com os homens, certo? De algum modo, ficam mais interessantes na casa dos 30, 40 anos que no ápice da juventude.

Graham sempre se cuidou. Ainda hoje, como um reloginho, ele acorda todo dia e sai para correr. Amo que continue em forma, mas não por causa da aparência. Minha parte favorita é que ele nunca toca no assunto. Graham não é do tipo que precisa provar nada a ninguém, ou que faz da rotina de exercícios uma competição com os amigos. Corre para si mesmo, ninguém mais, e amo isso nele.

Neste momento, sua aparência me lembra muito a que exibia na manhã após nosso casamento. *Cansada*. Nenhum dos dois dormiu muito na noite de núpcias, e, pela manhã, ele parecia ter envelhecido cinco anos em uma noite. O cabelo estava em desalinho; os olhos, ligeiramente inchados pela falta de sono. Pelo menos naquela manhã, ele parecia cansado, mas *feliz*.

Agora, parece somente cansado e triste.

Ele pressiona uma palma contra a outra e leva as mãos à boca. Parece nervoso, mas também pronto para acabar logo com aquilo.

— No que está pensando?

Odeio o que estou sentindo neste instante. É como se todas as minhas angústias e medos tivessem sido moldados em uma pequena bola, e essa bola está quicando dentro de mim, acertando meu coração, meus pulmões, minhas vísceras, minha garganta. Fazendo minhas mãos tremerem, então eu as aperto uma contra a outra na mesa a minha frente, e tento imobilizá-las.

— Estou pensando em tudo — respondo. — No que deu errado. No que *eu* fiz de errado. — Solto um leve suspiro. — Estou pensando no quanto costumava parecer certo, e em como eu queria que ainda fosse assim.

— Podemos voltar a ser o que éramos, Quinn. Sei que podemos.

Graham parece tão esperançoso quando diz isso. E ingênuo.

— Como?

Ele não tem uma resposta para essa pergunta. Talvez porque não se sinta estilhaçado. Tudo de defeituoso em nosso casamento vem de mim, e ele não pode me consertar. Tenho certeza de que, se pudesse resolver nossa vida sexual, aquilo seria o bastante para apaziguá-lo por mais alguns anos.

— Você acha que devemos fazer sexo com mais frequência? — *Graham quase parece ofendido com minha pergunta.* — Isso deixaria você mais feliz, certo?

Ele traça uma linha invisível no tampo da mesa, acompanhando-a com os olhos até que começa a falar:

— Não vou mentir e dizer que estou satisfeito com nossa vida sexual. Mas também não vou fingir que é a única coisa que gostaria que mudasse. O que quero mais que tudo é que você queira ser minha mulher.

— Não, o que você quer de mim é que eu seja a mulher que eu costumava ser. Não acho que me queira como sou agora.

Graham me encara por um momento.

— Talvez você tenha razão. É tão horrível assim que eu sinta saudades de quando tinha certeza de que você estava apaixonada por mim? Quando você ficava feliz em me ver? Quando queria fazer amor comigo porque queria, e não apenas para engravidar? — Ele se inclina para a frente, me prendendo com o olhar. — Não podemos ter filhos, Quinn. E sabe de uma coisa? Por mim, tudo bem. Não casei com você pelos filhos que poderíamos vir a ter um dia. Eu me apaixonei por *você* e me comprometi com *você* porque queria passar o resto da vida com *você*. Era tudo o que me importava quando fiz meus votos. Mas começo a entender que, talvez, você não tenha se casado comigo pelos mesmos motivos.

— Não é justo — digo, baixinho. Ele não pode simplesmente insinuar que eu não teria me casado com ele se soubesse que não poderia ser pai. E ele não pode afirmar que ainda teria se casado comigo se conhecesse os fatos antes de nosso casamento. Uma pessoa não pode alegar, com absoluta certeza, o que teria feito ou como teria se sentido em uma situação que jamais havia vivenciado.

Graham se levanta e caminha até a cozinha. Pega uma garrafa de água da geladeira, e permaneço sentada, em silêncio, enquanto ele a bebe. Espero que volte à mesa para continuar nossa conversa, porque não me sinto pronta para retomar o assunto. Preciso saber tudo o que ele está sentindo antes de decidir o que falar. O que fazer. Quando se senta novamente, estende a mão sobre a mesa e a coloca sobre a minha. Ele me olha com sinceridade.

— Nunca vou colocar um grama de culpa sobre seus ombros por qualquer coisa que eu tenha feito. Beijei outra mulher, e foi um erro meu. Mas esse é um entre dúzias de problemas em nosso casamento, e eles *não* são todos minha responsabilidade. Não posso ajudar você se não sei o que se passa em sua cabeça. — Ele puxa minha mão para mais perto e a envolve com as suas. — Sei que fiz você sofrer horrores nas últimas semanas. E estou muito, muito arrependido. Mais do que imagina. No entanto, se puder me perdoar por ter feito você passar pela pior experiência possível, então sei que podemos superar todo o resto. *Sei* que podemos.

Ele me encara com tanta confiança na expressão. Acho que não é algo difícil de conseguir, já que ele acredita, piamente, que o fato de ter beijado outra mulher é a pior coisa que já havia me acontecido.

Se não estivesse tão ofendida, eu teria rido. Liberto a mão de seu aperto.

Eu me levanto.

Tento tomar fôlego, mas não fazia ideia de que a raiva podia assentar nos pulmões.

Quando enfim sou capaz de responder, eu o faço com calma e tranquilidade porque, se há uma coisa que preciso que Graham entenda, é justamente o que estou prestes a dizer. Eu me inclino para a frente e pressiono as palmas das mãos na mesa, encarando-o.

— Se acredita que o que houve entre você e aquela mulher foi a pior coisa que poderia me acontecer, então você *não* faz mesmo a menor ideia do que tenho passado. Não faz ideia do que é vivenciar a infertilidade. Porque *você* não conhece a infertilidade, Graham. *Eu* sim. Não confunda as coisas. Você pode trepar com outra mulher e fazer um bebê. *Eu* não posso trepar com outro homem e fazer um bebê. — Eu me afasto da mesa e dou meia-volta. Minha intenção era parar um momento para organizar os pensamentos, mas, aparentemente, não preciso de momento algum, já que me viro e o encaro de repente. — E eu *amava* fazer amor com você, Graham. Não era você que eu rejeitava. Mas a agonia que vinha em seguida. Sua infidelidade é moleza comparada ao que eu sofria mês após mês, toda vez que fazíamos amor e não resultava em nada além de um orgasmo. Um *orgasmo*! Grande *merda*! Como eu podia sequer admitir isso a você? Não tinha como confessar que passei a desprezar cada abraço e cada beijo e cada toque porque tudo isso culminava no pior dia de minha vida, a cada vinte e oito malditos dias! — Largo a cadeira de lado e me afasto da mesa. — Vão se foder, você e seu caso. Estou *cagando* para sua traição, Graham.

Caminho até a cozinha assim que termino meu desabafo. Não quero nem olhar para a cara dele nesse momento. Nunca fui tão honesta e tenho medo do que isso fez a ele. Também tenho medo porque não me importo com o que isso fez a ele.

Nem sei por que estou discutindo questões tão irrelevantes. Não posso engravidar, não importa o quanto falemos sobre o passado.

Eu me sirvo um copo de água e tomo um gole enquanto me acalmo.

Ficamos em silêncio alguns momentos, antes que Graham se levante da mesa. Ele vem até a cozinha e se apoia no balcão a minha frente, cruzando as pernas na altura do tornozelo. Quando tomo coragem para encará-lo, estou surpresa de ver a calma em seu olhar. Mesmo após a crueza das palavras que deixei escapar, de algum modo ele ainda me olha como se não me odiasse profundamente.

Nós nos encaramos, os dois sem lágrimas nos olhos e repletos de sentimentos que jamais deviam ter ficado reprimidos por tantos anos. Apesar da aparente calma e ausência de animosidade, Graham parece esvaziado pelas palavras que despejei em cima dele; como se minhas palavras fossem alfinetes, fazendo pequenos furos, deixando o ar sair.

Posso ver, pelo cansaço em sua expressão, que ele desistiu novamente. Não o culpo. Por que continuar lutando por alguém que não batalha mais por *você*?

Graham fecha os olhos e aperta a ponte do nariz entre os dedos. Ele se concentra em acalmar a respiração antes de cruzar os braços. Então balança a cabeça, como se enfim chegasse a uma conclusão à qual jamais quis chegar.

— Não importa o quanto eu tente... Não importa o quanto eu ame você... Não posso ser a única coisa que você sempre quis que eu fosse, Quinn. Jamais serei pai.

Uma lágrima cai de meu olho. Então outra. Mas continuo impassível enquanto ele se aproxima de mim.

— Se isso é tudo o que nosso casamento é... se isso é tudo que pode ser... só você e eu... será o suficiente? Eu basto para você, Quinn?

Estou desconcertada. Sem palavras.

Eu o encaro, incrédula, incapaz de responder. Não porque não consiga. Sei a resposta para sua pergunta. *Sempre* soube a resposta. Mas continuo em silêncio porque não tenho certeza se *devo* responder.

O silêncio que paira entre sua pergunta e minha resposta cria o maior equívoco que nosso casamento já testemunhara. O queixo de Graham fica tenso. Seus olhos endurecem. Tudo — até mesmo seu coração — endurece. Ele desvia o olhar, porque meu silêncio significa uma coisa diferente para ele do que representa para mim.

Ele sai da cozinha, em direção à sala. Com certeza para pegar sua mala e partir mais uma vez. Preciso me controlar para não correr atrás dele e implorar para que fique. Quero cair de joelhos e confessar que, se no dia de nosso casamento, alguém tivesse me forçado a escolher entre a possibilidade de ser mãe ou passar o resto da vida com Graham, eu teria escolhido uma vida com ele. Sem dúvida, eu teria escolhido Graham.

Não acredito que nosso casamento chegou a esse ponto. Um ponto em que meu comportamento convencera Graham de que ele não é o bastante para mim. Ele *é* o bastante.

O problema é... ele poderia ser muito mais *sem* mim.

Solto um suspiro trêmulo e me viro, apoiando as palmas da mão no balcão. A agonia de saber a dor que estou lhe causando faz meu corpo inteiro tremer.

Quando ele aparece no corredor, não está carregando sua mala. Está carregando outra coisa.

A caixa.

Ele trouxe a caixa com ele?

Graham entra na cozinha e a coloca ao meu lado, no balcão.

— Se não me impedir, vamos abri-la.

Eu me inclino para a frente e apoio os braços no balcão, e meu rosto nos braços. Mas não o mando parar. Só o que quero é chorar. É o tipo de choro que me ataca nos sonhos. O choro que machuca tanto que você nem deixa escapar som algum.

— Quinn — implora ele, com voz trêmula. Cerros os olhos ainda mais. — *Quinn*. — Ele murmura meu nome como se fosse seu último apelo. Quando ainda me recuso a pedir que pare, eu o ouço aproximar mais a caixa de mim. Eu o ouço enfiar a chave na fechadura. Eu ouço o cadeado ceder, mas, em vez de escutá-lo tilintando contra o balcão, ele se choca contra a parede da cozinha.

Graham está furioso agora.

— Olhe para mim.

Balanço a cabeça. Não quero olhar para ele. Não quero lembrar como foi fechar aquela caixa juntos, há tantos anos.

Ele passa uma das mãos pelo cabelo e se abaixa, encostando os lábios em meu ouvido.

— Essa caixa não vai se abrir sozinha, e pode ter a maldita certeza de que não vou ser eu a abri-la.

Sua mão deixa o cabelo, e seus lábios deixam meu ouvido. Ele escorrega a caixa pelo balcão até tocar meu braço.

Poucas vezes em minha vida já chorei tanto. Três delas, quando as tentativas de fertilização *in vitro* não vingaram. Uma delas foi na noite em que descobri que Graham havia beijado outra mulher. Outra, quando soube que tinha sofrido uma histerectomia. Todas as vezes que chorei assim, em cada uma delas, Graham me aninhou em seus braços. Mesmo quando ele era a causa das lágrimas.

Essa vez é muito pior. Não sei se sou forte o bastante para enfrentar esse tipo de angústia sozinha.

Como se pressentisse isso, sinto seus braços ao meu redor. Seus amáveis, cuidadosos e abnegados braços me envolvem, e, embora estejamos em lados opostos dessa guerra, Graham se recusa a escolher suas armas. Meu rosto agora está encostado em seu peito, e me sinto tão destruída.

Tão destruída.

Tento acalmar a guerra dentro de mim, mas tudo o que escuto são as mesmas frases que vêm se repetindo, de novo e de novo, em minha mente desde a primeira vez que as ouvi.

Você seria um ótimo pai, Graham.

Eu sei. Fico arrasado que ainda não tenha acontecido.

Deposito um beijo no peito de Graham e sussurro uma promessa silenciosa contra seu coração. *Um dia vai acontecer com você, Graham. Um dia você vai entender.*

Eu me afasto de seu peito.

Abro a caixa.

Finalmente nossa dança chega ao fim.

Capítulo vinte e sete

Antes

Já faz cinco horas desde que dissemos sim em uma praia isolada, na presença de dois desconhecidos que encontramos minutos antes de nossos votos. E não tenho um arrependimento sequer.

Nenhum.

Não me arrependo de ter concordado em passar o fim de semana com Graham na casa de praia. Não me arrependo de ter me casado cinco meses antes do planejado. Não me arrependo de ter mandado uma mensagem para minha mãe assim que a cerimônia terminou, agradecendo pela ajuda, mas avisando que não era mais necessária, pois já havíamos nos casado. E não me arrependo de, em vez de um jantar sofisticado no Douglas Whimberly Plaza, ter assado cachorros-quentes na braseira com Graham, e comido biscoitos de sobremesa.

Acho que nunca vou me arrepender de nada disso. Algo tão perfeito nunca poderia ser causa de arrependimento.

Graham abre a porta de correr de vidro e atravessa a varanda. Fazia muito frio para ficar aqui em cima em nossa primeira visita, há três meses, mas hoje a noite está perfeita. Uma brisa fresca sopra do oceano, balançando meu cabelo apenas o suficiente para afastá-lo do rosto. Graham senta ao meu lado, me puxando para perto. Eu me aconchego a seu corpo.

Ele se inclina de leve e pousa o telefone ao lado do meu, na balaustrada a nossa frente. Graham estava lá dentro, contando à mãe a novidade de que não haveria mais festa de casamento.

— Sua mãe ficou chateada? — pergunto.

— Está fingindo que ficou feliz por nós dois, mas sei que gostaria de ter estado presente.

— Você se sente culpado?

Ele ri.

— De jeito nenhum. Ela organizou a cerimônia de duas de minhas irmãs e agora está planejando o casamento da caçula. Tenho certeza de que se sente aliviada. É com minhas irmãs que estou preocupado.

Não tinha nem pensado nelas. Mandei uma mensagem para Ava ontem, no caminho para cá, acho que ela era a única que sabia. Ava e as três irmãs de Graham seriam as madrinhas do casamento. Fizemos o convite na semana anterior. — O que elas disseram?

— Ainda não falei com elas — responde ele. — Mas tenho certeza de que nem vou precisar. Aposto que minha mãe está no telefone com as três nesse instante.

— Tenho certeza de que vão ficar felizes por você. Além do mais, elas conheceram minha mãe no domingo de Páscoa. Vão entender por que decidimos agir assim.

Meu telefone apita. Graham estende o braço e o pega para mim. É óbvio que dá uma olhada na tela antes de me entregar. Quando vejo que é uma mensagem de minha mãe, tento tirar o telefone de sua mão, mas é tarde demais. Ele o puxa para mais perto e termina de ler o texto.

— Do que ela está falando?

Leio a mensagem e começo a entrar em pânico.

— Não é nada.

Por favor, Graham. Deixe isso para lá.

Sinto que não é o que vai acontecer, porque ele me força a me ajeitar e a encará-lo.

— Por que ela escreveu isso?

Baixo o olhar para o telefone mais uma vez. Para a terrível mensagem.

Você acha que ele se apressou porque estava empolgado em se casar com você? Acorde, Quinn. Foi a melhor maneira de evitar o acordo.

— Acordo de quê? — pergunta Graham.

Levo a mão ao coração e tento encontrar as palavras certas, mas parecem tão elusivas agora quanto foram nos últimos três meses que venho tentando evitar o assunto.

— Ela está falando sobre um acordo pré-nupcial.

— Para quê? — dispara Graham. E consigo perceber o tom ofendido em sua voz.

— Ela está preocupada que meu padrasto tenha me incluído no testamento. Ou talvez ele já tenha feito isso, não sei. Faria mais sentido, já que ela tem insistido tanto para que eu converse com você sobre esse assunto.

— E por que não conversou?

— Eu ia falar. É só que... Não achei necessário, Graham. Sei que você não se casou comigo por isso. E, mesmo que o marido de minha mãe me deixe algum dinheiro no futuro, não me importo que nós dois herdemos.

Graham engancha o polegar em meu queixo.

— Em primeiro lugar, você tem razão. Não dou a mínima para sua conta bancária. Em segundo, fico muito irritado com o quanto sua mãe trata você mal. Mas... por mais desprezíveis que sejam suas palavras às vezes, ela está certa. Você não devia ter se casado comigo sem um acordo pré-nupcial. Não sei por que nunca tocou no assunto comigo. Eu teria assinado sem discussão. Sou contador, Quinn. É a coisa certa a se fazer quando há bens envolvidos.

Não sei quais eram minhas expectativas, mas não esperava que ele concordasse com minha mãe.

— Ah, bem. Eu devia ter falado com você antes. Não pensei que a conversa seria assim tão fácil.

— Sou seu marido. Meu objetivo é facilitar as coisas para você, não torná-las mais difíceis. — Ele me beija, mas o beijo é interrompido pelo som de meu celular.

É outra mensagem de minha mãe. Antes que eu possa terminar de ler, Graham pega o telefone de minha mão. Ele digita uma mensagem para ela.

Graham concordou em assinar um acordo pós-nupcial. Mande seu advogado tratar dos papéis. Problema resolvido.

Ele pousa o telefone no gradil e, como na primeira noite em que nos encontramos, empurra o aparelho até cair pela beirada da varanda. Antes que meu celular atinja os arbustos abaixo, o de Graham recebe uma mensagem. Então outra. E mais outra.

— Suas irmãs.

Graham se inclina para a frente e também dá um empurrão no próprio celular. Quando o escutamos cair nas plantas lá embaixo, soltamos uma gargalhada.

— Muito melhor. — Ele se levanta e estende uma das mãos para mim. — Venha. Tenho um presente para você.

Seguro sua mão e me levanto de um pulo, empolgada.

— Sério? Um presente de casamento?

Ele me coloca a suas costas e me guia até o quarto.

— Sente-se — diz ele, indicando a cama. — Volto logo.

Pulo para o meio da cama e espero, extasiada, que volte com meu presente. É o primeiro presente que ganho de meu marido, então acho que estou exagerando na reação. Não tenho ideia de quando ele arranjou tempo para comprar alguma coisa. Nem sabíamos que íamos casar até meia hora antes de chegarmos aqui.

Graham volta para o quarto com uma caixa de madeira. Não sei se é o meu presente ou se há alguma coisa ali dentro, mas a caixa em si é tão bonita que não me importaria se fosse aquilo mesmo o presente. É feita de mogno escuro e parece entalhada à mão, com intrincados detalhes na tampa.

— Foi você que fez isso?

— Há alguns anos — admite ele. — Eu costumava construir coisas na garagem de meu pai. Gosto de trabalhar com madeira.

— Não conhecia esse seu lado.

Graham sorri para mim.

— Efeito colateral de casar com alguém que você conhece há menos de um ano. — Ele se senta a minha frente na cama. Não para de sorrir, o que me deixa ainda mais agitada. Mas não me entrega o presente. Abre a tampa e tira alguma coisa de dentro da caixa. Me parece familiar. Um envelope com seu nome.

— Sabe o que é isso?

Pego o envelope de sua mão. Na última vez que visitamos a casa de praia, Graham me pediu que lhe escrevesse uma carta de amor. Tão logo chegamos a meu apartamento, passei uma noite inteira escrevendo aquela carta. Até borrifei perfume no papel e anexei uma foto minha, nua, antes de fechar o envelope.

Depois que a dei a ele, eu me perguntei por que nunca mais a mencionou. Mas fiquei tão envolvida com o casamento que esqueci o assunto. Eu viro o envelope e noto que não foi aberto.

— Por que não abriu?

Ele tira outro envelope de dentro da caixa, mas não me responde. É um envelope maior, com meu nome escrito.

Eu o pego de sua mão, mais excitada com uma carta de amor do que jamais estive em toda a minha vida.

— Você também escreveu uma para mim?

— Primeira carta de amor que escrevo na vida — confessa ele. — Acho que foi uma primeira tentativa bem decente.

Sorrio e uso um dos dedos para começar a abrir a aba do envelope, mas Graham o arranca de minhas mãos antes que eu consiga abri-lo.

— Não pode ler ainda. — Ele segura a carta contra o peito, como se eu fosse tentar tomá-la dele.

— Por que não?

— Porque — começa ele, colocando os dois envelopes de volta na caixa —, ainda não é hora.

— Você escreveu uma carta de amor que não posso ler?

Graham parece se divertir com tudo aquilo.

— Você precisa esperar. Vamos trancar a caixa e deixar para abri-la no nosso aniversário de vinte e cinco anos de casados. — Ele pega um cadeado que estava na caixa e o passa pelo gancho da fechadura.

— Graham! — reclamo, rindo. — Esse é o pior dos presentes! Você me deu vinte e cinco anos de tormento!

Ele solta uma gargalhada.

Por mais frustrante que seja o presente, também é uma das coisas mais doces que ele já havia preparado. Fico de joelhos e me inclino para a frente, abraçando-o pelo pescoço.

— Estou meio irritada por não poder ler sua carta ainda — sussurro. — Mas é um presente muito bonito, na verdade. Você é oficialmente o homem mais doce que conheço, Sr. Wells.

Ele beija a ponta de meu nariz.

— Fico feliz que tenha gostado, Sra. Wells.

Eu retribuo o beijo e então me sento de volta na cama. Corro os dedos sobre o tampo da caixa.

— Fico triste que não vá ver minha foto nos próximos vinte e cinco anos. Exigiu muita flexibilidade.

Graham levanta uma sobrancelha.

— Flexibilidade, é?

Eu sorrio. Baixo o olhar para a caixa, me perguntando o que diz sua carta. Não posso acreditar que terei de esperar vinte e cinco anos.

— Não tem como nos safar dessa espera?

— Só podemos abrir essa caixa antes do nosso aniversário de vinte e cinco anos se for uma emergência.

— Que tipo de emergência? Tipo... morte?

Ele balança a cabeça.

— Não. Uma emergência matrimonial. Tipo... divórcio.

— Divórcio? — Odeio a palavra. — Sério?

— Não vejo motivo para abrirmos essa caixa que não para celebrar nosso tempo juntos, Quinn. Mas, se um de nós, alguma vez, decidir que quer o divórcio, se chegarmos ao ponto em que nos pareça a única solução, temos que prometer que não vamos levar o processo adiante antes de abrir essa caixa e ler as cartas.

Talvez lembrar um ao outro como nos sentimos quando fechamos a caixa nos ajude a mudar de ideia, se algum dia precisarmos abri-la mais cedo.

— Então essa caixa não é apenas uma recordação. É também um kit de sobrevivência conjugal?

Graham dá de ombros.

— Pode considerar assim. Mas não temos com que nos preocupar. Estou confiante de que não precisaremos abri-la nos próximos vinte e cinco anos.

— Estou *mais* que confiante — afirmo. — Até apostaria nisso, mas, se eu perder e nos divorciarmos, não vou ter dinheiro suficiente para pagar, porque você não assinou o acordo pré-nupcial.

Graham pisca para mim.

— Você não devia ter se casado com um interesseiro.

— Ainda posso mudar de ideia?

Graham fecha o cadeado com um clique.

— Tarde demais. Já tranquei a caixa. — Ele pega a chave do cadeado e leva a caixa até a cômoda. — Amanhã, vou prender a chave no fundo com uma fita adesiva para nunca a perdermos — avisa.

Graham contorna a cama e se aproxima de mim, então me agarra pela cintura e me levanta da cama, me jogando sobre o ombro. Ele cruza a porta, me carregando de volta à varanda, e se senta no balanço, me colocando em seu colo.

Seguro seu rosto entre as mãos.

— Foi mesmo um presente adorável — sussurro. — Obrigada.

— De nada.

— Não comprei nada para você. Não sabia que ia me casar hoje, então não tive tempo.

Graham afasta meu cabelo do ombro e cola os lábios em meu pescoço.

— Não consigo pensar em nenhum presente no mundo que me faria tirar você de meu colo.

— E se eu tivesse comprado uma enorme TV de tela plana? Aposto que você me tiraria de seu colo por uma tela plana.

Ele ri contra meu pescoço.

— Não.

Sua mão sobe por minha barriga até encontrar meu seio.

— E um carro novo?

Devagar, ele desliza os lábios por meu pescoço. Quando sua boca alcança a minha, ele sussurra *não mesmo* contra meus lábios. Tenta me beijar, mas me afasto um pouco.

— E se eu tivesse comprado uma daquelas calculadoras científicas que custam os olhos da cara? Aposto que você me tiraria do colo pela matemática.

Graham acaricia minhas costas.

— Nem mesmo pela matemática. — Sua língua acha o caminho entre meus lábios, e ele me beija com tanta segurança que minha cabeça começa a rodar. E pela meia hora seguinte, é tudo o que fazemos. Namoramos como adolescentes na varanda externa.

Em dado momento, Graham se levanta, me abraçando contra o peito, sem interromper nosso beijo. Ele me carrega para dentro e me deita na cama. Apaga a luz e abre completamente a porta de correr para que possamos escutar as ondas quebrando na praia.

Quando volta para cama, despe minhas roupas, uma peça de cada vez, rasgando minha blusa no processo. Ele beija meu pescoço, descendo até minhas coxas, dando especial atenção a cada parte de meu corpo.

Quando enfim reencontra minha boca, ele tem meu gosto.

Eu o deito de costas e pago na mesma moeda até que eu tenha seu gosto também.

Quando abre minhas pernas e nos une, parece diferente e novo, porque é a primeira vez que fazemos amor como marido e mulher.

Ainda o sinto dentro de mim quando os primeiros raios de sol espreitam do oceano.

Capítulo vinte e oito

Agora

Graham não faz nada depois que abro a caixa. Apenas fica parado ao meu lado em silêncio, enquanto pego o envelope com seu nome. Eu o entrego a ele e baixo o olhar para a caixa de novo.

Ergo o envelope com meu nome, supondo ser a última coisa que resta na caixa, já que tudo o que havíamos guardado ali dentro foram aquelas duas cartas. Mas então vejo outras, todas endereçadas a mim, com as respectivas datas. *Ele vem adicionando cartas.* Olho para Graham, questionando-o silenciosamente.

— Eu precisava dizer algumas coisas que você nunca quis ouvir. — Ele segura seu envelope e cruza a porta dos fundos até a varanda na parte de trás da casa. Levo a caixa até o quarto de hóspedes e fecho a porta.

Eu me sento sozinha na cama, segurando a única carta que eu esperava encontrar na caixa. A de nossa noite de núpcias. Ele colocou a data no topo direito do envelope. Abro os outros envelopes e empilho as páginas na ordem em que foram escritas. Estou muito assustada para ler qualquer uma delas. Muito assustada para não ler.

Quando fechamos essa caixa, há tantos anos, eu não tinha a menor dúvida de que não a abriríamos antes de nosso aniversário de vinte e cinco anos de casamento. Mas isso foi antes do choque de realidade. Antes de descobrirmos que nosso sonho de ter filhos jamais se realizaria. Antes de descobrirmos que, quanto mais tempo se passasse, quanto mais momentos desoladores eu vivesse, quanto mais Graham fizesse amor comigo, *tudo* isso começaria a cobrar um preço.

Minhas mãos tremem enquanto pressiono as páginas no cobertor, endireitando-as. Levanto a primeira carta e começo a ler.

Não creio que esteja preparada para isso. Não acredito que ninguém que tenha se casado pelos motivos certos espere por algo assim um dia. Enrijeço, como se me preparasse para o impacto, e começo a ler.

Querida Quinn,

Pensei que eu teria mais tempo para escrever esta carta. Não era para nos casarmos agora, então esse é um presente de última hora. Não sou um bom escritor, por isso não tenho certeza se sequer conseguirei expressar em palavras o que preciso dizer. Sou melhor com números, mas não quero entediá-la com um monte de equações matemáticas, tipo, eu mais você igual eternidade.

Se pensa que isso é cafona, tem sorte de ter me conhecido quando eu já estava mais velho, e não mais no ensino fundamental. No sétimo ano, improvisei um poema que pretendia dar a minha primeira namorada. Felizmente, se passariam anos antes que tivesse uma primeira namorada. A essa altura, já tinha me dado conta de que não era uma boa ideia procurar rimas na tabela periódica para um poema de amor.

Entretanto, fico tão à vontade perto de você que acho que é chegada a hora de, enfim, dar uma chance àquele poema de amor da tabela periódica. Porque, sim, eu ainda me lembro dele. Um pouco.

> *Ei, garota, você é uma gata*
> *Parece esculpida em prata*
>
> *Seu sorriso me deixa ébrio*
> *Como se eu tivesse cheirado Hélio*
>
> *E a maciez de sua tez*
> *Me atrai como o Manganês*
>
> *Beijá-la seria como achar um tesouro*
> *Case comigo, garota, vou cobri-la de ouro*

Isso mesmo. Você é a garota especial que tem a sorte de se casar, hoje, com o autor desse poema.

Ainda bem que vão se passar vinte e cinco anos antes de você ler isso, porque, depois que nos casarmos esta tarde, nunca vou deixar você fugir. Sou como o Hotel California. Você pode amar Graham sempre que quiser, mas jamais pode me deixar.

O pastor vai chegar em duas horas. Você está no andar de cima, se preparando para a cerimônia, enquanto escrevo esta carta. Ontem, no caminho para cá, paramos em uma loja de noivas e você me fez esperar no carro enquanto escolhia um vestido. Quando voltou para o carro, com o vestido escondido no saco de roupa, você não conseguia parar de rir. Disse que as vendedoras que te atenderam acharam que você era esquisita por comprar um vestido apenas um dia antes do casamento; disse que surtaram quando você confessou ser uma procrastinadora crônica, e que ainda não tinha escolhido um noivo.

Mal posso esperar para ver você atravessar aquela nave de areia. Será apenas você, em seu vestido, em uma praia, sem decorações, nenhum convidado, nenhuma fanfarra. E o oceano inteiro como cenário. Mas vamos apenas torcer para que nenhuma parte de seu sonho da noite passada se torne realidade.

Hoje de manhã, quando acordou, perguntei o que havia perdido enquanto você dormia. Você me contou que havia sonhado que estávamos casando na praia, mas, bem na hora do sim, um tsunami veio e nos carregou. Mas não morremos. Ambos nos transformamos em assassinos aquáticos; você, num tubarão, e eu, numa baleia. E ainda estávamos apaixonados, embora você fosse um peixe, e eu, um mamífero. Você disse que, no restante do sonho, apenas tentávamos nos amar em um oceano cheio de criaturas que não aprovavam nosso relacionamento interespécies.

Com certeza, esse é meu sonho predileto até a presente data.

Estou sentado aqui fora, no pátio, escrevendo a carta de amor que pensava ter mais cinco meses para escrever. Em parte, estou um pouco nervoso porque, como eu disse, jamais fui um bom escritor. Minha imaginação não é tão fértil quanto a sua, como seus sonhos evidenciam. Mas escrever uma carta sobre o quanto eu te amo deveria ser fácil, então espero que essa carta e meu presente sirvam seu propósito.

Honestamente, Quinn, nem sei por onde começar. Acho que pelo princípio é a resposta óbvia, certo?

Poderia começar falando do dia em que nos conhecemos naquele corredor. O dia em que me dei conta de que, talvez, minha vida havia saído dos trilhos porque o destino tinha me reservado algo ainda melhor.

Mas, em vez disso, vou falar do dia em que não nos conhecemos. Com certeza, isso será uma surpresa, porque você não se lembra dele. Ou, talvez, você tenha algum resquício de lembrança, mas apenas não tenha se dado conta de que era eu.

Foi alguns meses antes de nos conhecermos no corredor do prédio. O pai de Ethan deu uma festa de Natal para os funcionários, e eu fui o par de Sasha. Você foi o par de Ethan. E, embora eu admita que ainda estava encantado com Sasha na época, havia algo em você que ficou gravado em minha memória naquela noite.

Não tínhamos sido oficialmente apresentados, mas você estava a apenas alguns metros e eu sabia quem era porque, mais cedo, Sasha havia me apontado você e Ethan. Ela disse que Ethan estava na fila para ser o próximo chefe dela e que você estava na fila para ser a esposa dele.

Você usava um vestido preto e sandálias de salto, também pretas. O cabelo estava preso em um coque rígido, e a ouvi brincando com alguém de como se parecia com o pessoal do buffet. Todos vestiam preto, e as meninas pentearam o cabelo como o seu. Não sei se o buffet estava desfalcado naquela noite, mas me lembro de ver alguém chegar perto de você e pedir um pouco de champanhe. Em vez de corrigi-lo, você simplesmente caminhou até o bar e encheu a taça do homem. Então pegou a garrafa e começou a encher a taça de outras pessoas. Quando enfim chegou até mim e Sasha, Ethan a alcançou e perguntou o que estava fazendo. Você respondeu, como se não fosse nada de mais, que estava enchendo taças, mas ele não gostou. Era visível em sua expressão que aquilo o constrangia. Ele pediu que você deixasse a garrafa de champanhe de lado, porque havia alguém que ele queria que conhecesse. Ele se foi, e jamais esquecerei o que você fez em seguida.

Você virou para mim e revirou os olhos com uma risada, então ergueu a garrafa e me ofereceu outra rodada.

Sorri para você e estendi o copo. Você encheu a taça de Sasha e continuou a encher a dos convidados até que a garrafa estivesse, enfim, vazia.

Não me lembro muito mais daquela noite. Foi uma festa comum, e Sasha estava de mau humor, por isso saímos mais cedo. E, para ser honesto, não pensei muito em você depois disso.

Não até o dia em que a vi de novo, naquele corredor. Quando saiu do elevador e caminhou até a porta do apartamento de Ethan, eu não devia ter sentido nada além de absoluto terror e desgosto pelo que acontecia ali dentro. Mas, por um breve instante, senti vontade de sorrir ao te ver. Ver você me fez lembrar da festa e do quão tranquila você parecia ser. Eu me encantei com como não se importou de que pensassem que você era uma garçonete, e não a namorada do Ethan Van Kemp. E foi no momento que você se juntou a mim no corredor — quando, de algum modo, sua presença quase me fez sorrir no pior dia de minha vida — que eu soube que tudo acabaria bem. Soube que o inevitável fim de meu romance com Sasha não seria também meu *fim.*

Não sei por que nunca lhe contei isso. Talvez porque gostasse da ideia de termos nos encontrado naquele corredor, nas mesmas circunstâncias. Ou, talvez, porque estava preocupado que você não fosse se lembrar daquela noite na festa, ou de encher minha taça de champanhe. Afinal, por que se lembraria? Aquele momento não tinha a menor importância.

Até que teve.

Eu escreveria mais sobre nosso encontro no corredor, mas você sabe tudo sobre isso. Ou, talvez, eu poderia escrever sobre a primeira noite em que fizemos amor, ou sobre o fato de que, logo que nos reencontramos enfim, nunca mais quisemos passar outra noite separados. Ou poderia escrever sobre o dia em que a pedi em casamento, e você, de forma estúpida, concordou em passar o resto da vida com um homem que, com certeza, não poderá lhe dar tudo o que merece.

Mas, na verdade, não quero falar de nada disso. Porque você estava presente em cada passo do caminho. Além do mais, tenho quase certeza de que sua carta de amor detalha cada minuto de como nos apaixonamos, então odiaria desperdiçar minha carta, repetindo algo que você, provavelmente, traduziu em palavras de um modo bem mais eloquente do que eu jamais conseguiria.

Acho que isso significa que cabe a mim falar do futuro.

Se tudo sair conforme planejado, você estará lendo esta carta em nosso aniversário de vinte e cinco anos de casados. Pode ser que você derrame algumas lágrimas e manche um pouco as letras. Em seguida, vai se inclinar e me beijar, e faremos amor.

Mas... se, por alguma razão, você estiver abrindo essa caixa porque nosso casamento não correu como esperávamos, deixe-me primeiro dizer o quanto lamento. Porque sei que não estaríamos lendo essas cartas antes sem que tivéssemos feito o possível para evitar.

Não sei se vai lembrar, mas tivemos uma conversa certa vez. Acho que foi na segunda noite que passamos juntos. Você comentou que todos os casamentos tinham momentos de categoria 5 e que acreditava que nenhum de seus relacionamentos anteriores teriam sobrevivido a esses momentos.

Às vezes penso nisso. No que faria um casal sobreviver a um momento de categoria 5, enquanto outro casal pode não conseguir. Tenho pensado nisso o bastante para chegar a uma conclusão plausível.

Furacões não são uma ameaça constante às cidades costeiras. Há mais dias com tempo bom, de perfeitos dias de praia, do que furacões.

Casamentos seguem o mesmo padrão, com muitos dias bons, sem discussão, quando ambos estão plenos de amor um pelo outro.

Mas, então, existem os dias de condições meteorológicas ameaçadoras. Podem ser poucos por ano, mas capazes de causar tanto dano que sua reparação consome anos. Algumas cidades costeiras se preparam para os dias de tempo ruim. Economizam recursos e a maior parte da energia, de modo a estarem abastecidas e prontas para as consequências.

Mas outras cidades não se preparam assim. Investem todos os recursos nos dias de tempo bom, na esperança de que o clima rigoroso jamais chegue. É a escolha preguiçosa e a que traz mais consequências.

Acho que essa é a diferença entre casamentos que sobrevivem e os que não sobrevivem. Algumas pessoas acreditam que o foco de um casamento deve ser voltado para os dias perfeitos. Amam tanto e tão intensamente como podem quando as coisas correm bem. Mas, se a pessoa dá tudo de si nos momentos bons, acreditando que os tempos difíceis nunca vão tocá-la, talvez não haja bastante reservas ou energia de sobra para resistir àqueles momentos de categoria 5.

Sei, sem sombra de dúvida, que vamos ter muitos bons momentos. Não importa o que a vida apronte conosco, vamos criar memórias lindas juntos, Quinn. Isso é certo. Mas também vamos ter dias ruins e dias tristes e dias que testarão nossa determinação.

É nesses dias que quero que sinta todo o peso de meu amor por você.

Prometo que vou amá-la mais durante as tempestades do que vou amá-la nos dias perfeitos.

Prometo amá-la mais quando estiver magoada do que quando se sentir feliz.

Prometo amá-la mais quando formos pobres do que quando estivermos nadando em dinheiro.

Prometo amá-la mais quando você chorar do que quando sorrir.

Prometo amá-la mais quando estiver doente do que quando estiver saudável.

Prometo amá-la mais quando me odiar do que quando me amar.

E prometo... Juro... que vou amá-la mais quando você ler esta carta do que a amei quando a escrevi.

Mal posso esperar para passar o resto da vida com você. Mas posso esperar para iluminar todas as suas qualidades.

Amo você.

Demais.

Graham.

* * *

Querida Quinn,

Vou começar esta carta com um pequeno pedido de desculpas.

Me desculpe por abrir novamente a caixa. Me desculpe porque precisei escrever outra carta. Mas penso que você vai ficar mais satisfeita que aborrecida com isso.

Ok, agora matemática. Sei que odeia matemática, mas eu amo e preciso fazer as contas com você. Faz exatamente um ano que decidimos começar uma família. O que significa que se passaram, aproximadamente, 365 dias entre aquele dia e o de hoje.

Desses 365 dias, fizemos sexo uma média de 200 dias. Aproximadamente, 4 noites por semana. Desses 200 dias, você estava ovulando em apenas 25% do tempo. Cerca de 50 dias. Mas as chances de uma mulher engravidar durante a ovulação são de apenas 20%. São 10 dias de 50. Assim sendo, pelos meus cálculos, do total de 365 dias que se passaram entre o dia que começamos a tentar e o dia de hoje, somente 10 desses dias contam. Dez não é nada.

É como se tivéssemos começado a tentar agora.

Só estou escrevendo isso porque percebi que você está começando a ficar preocupada. E sei que, quando ler essa carta, no 25º aniversário de nosso casamento, vamos estar a poucos anos de nos tornarmos avós e nenhuma dessas contas será relevante. Mas, assim como quero que se lembre dos dias bons, acho que talvez deva falar também um pouco de nossos dias não tão perfeitos.

Você está dormindo no sofá agora. Seus pés estão em meu colo, e, vez ou outra, todo o seu corpo estremece, como se você estivesse pulando em seus sonhos. Continuo tentando lhe escrever esta carta, mas seus pés esbarram em meu braço, fazendo a caneta rabiscar a página. Se minha caligrafia parece uma merda, a culpa é sua.

Você nunca dorme no sofá, mas foi uma longa noite. Sua mãe organizou mais um de seus sofisticados eventos de caridade. Esse até que foi divertido. O tema era inspirado nos cassinos, e havia mesas por toda parte onde se podia apostar. É óbvio, era tudo para caridade, então não havia vencedores de fato, mas foi melhor do que muitos eventos emproados em que temos que sentar à mesa na companhia de pessoas de quem não gostamos, e temos que ouvir discursos de pessoas que não fazem nada, senão contar vantagem.

A noite foi agradável, mas logo percebi que você se sentia sobrecarregada com as perguntas. Eram apenas conversas bobas, inofensivas, mas, às vezes, isso pode ser bem cansativo. Doloroso, até. Escutei, repetidas vezes, enquanto as pessoas perguntavam quando iríamos ter um bebê. Às vezes as pessoas simplesmente presumem que a gravidez acompanha o casamento. Mas as pessoas não pensam nas perguntas que fazem aos outros, e não se dão conta de quantas vezes alguém já foi obrigado a responder a mesma questão.

Nas primeiras vezes em que lhe perguntaram, você apenas sorriu e disse que tínhamos apenas começado a tentar.

Mas na quinta ou sexta vez, seu sorriso parecia cada vez mais forçado. Comecei a responder por você, mas, mesmo assim, podia ver em seus olhos que as perguntas a magoavam. Eu só queria tirar você dali.

Essa noite foi a primeira vez que pude ver sua tristeza. Você é sempre tão positiva e otimista em relação a esse assunto, mesmo quando está preocupada. Mas essa noite você parecia exausta. Como se, talvez, essa noite fosse o último evento ao qual compareceríamos até que tivéssemos, de fato, um bebê nos braços.

Mas entendo. Também estou cansado dessas perguntas. Está acabando comigo ver você tão triste. Eu me sinto... imprestável. Odeio isso. Odeio não ter controle sobre essa situação. Odeio não poder consertá-la para você.

Embora estejamos tentando há mais de um ano, tenho esperança. Vai acontecer um dia. Apenas terá que acontecer de um modo diferente do que pensávamos que iria.

Caramba, nem sei por que estou escrevendo sobre isso, porque você já vai ser mãe quando ler esta carta. Cinco vezes, talvez.

Acho que estou apenas processando o assunto. E temos tanto pelo que ser gratos. Você ama seu emprego. Eu tolero o meu. Depois do trabalho, conseguimos passar os fins de tarde juntos. Fazemos amor o tempo todo e rimos muito. Na verdade, a vida é perfeita. É inegável que há o pequeno detalhe de sua gravidez, que esperamos que torne a vida ainda melhor, mas isso virá com o tempo. E, honestamente, quanto mais demorar, mais valorizado acabará sendo. A gratidão nasce do esforço. E, sem dúvida, temos nos esforçado.

Nossa sobrinha, Adeline, é linda e feliz, e gosta mais de você que de mim. Ano passado, Caroline concordou em deixá-la dormir em nossa casa, e ela não parou de nos visitar desde então. E você espera ansiosamente por essas ocasiões. Acho que isso me fez me apaixonar ainda mais por você. Sei o quanto a magoa ainda não termos gerado um bebê só nosso, mas testemunhar o quão genuinamente feliz você fica por minha irmã e sua família apenas confirma como é altruísta. Você não compara nosso esforço ao sucesso dela, o que me faz amar sua força interior.

Você continua dormindo no sofá, mas está roncando agora, então preciso parar de escrever esta carta e achar meu celular para gravar. Você discute comigo e diz que não ronca, mas vou conseguir uma prova.

Eu amo você, Quinn. E, embora o tom desta carta seja meio deprimente, a força de meu amor se encontra no máximo. Esse não é um momento de categoria 5. Talvez um de categoria 2. Mas prometo amá-la com mais intensidade esse ano que em qualquer ano anterior.

Amo você.

Demais.

Graham.

***

Querida Quinn,

Eu me desculparia por abrir a caixa mais uma vez, mas tenho a sensação de que vai acontecer de novo. Às vezes você não quer falar sobre as coisas que a deixam triste, mas sinto que um dia vai gostar de saber o que penso. Sobretudo esse ano. Tem sido o mais duro de todos.

Já estamos casados há mais de cinco anos. Não quero insistir no assunto, porque tenho a impressão de que é tudo a que nossa vida se resume, mas, nos últimos anos, nada deu certo no que diz respeito a nossos problemas de fertilidade. Passamos por três tentativas de fertilização in vitro *antes de dar um basta. Devíamos ter arriscado uma quarta vez, apesar de o médico não ser a favor, mas simplesmente não podíamos pagar.*

Existem muitas coisas nesse casamento que quero deixar documentadas, Quinn, mas a angústia que acompanha cada uma dessas tentativas frustradas não é uma delas. Tenho certeza de que se lembra de como é difícil para nós dois, então não faz sentido detalhar aqui.

Sabe como sempre lhe pergunto sobre seus sonhos? Acho que vou parar de fazer isso por um tempo.

No último domingo, quando acordou, perguntei o que eu havia perdido enquanto você dormia. Você me encarou com uma expressão vazia. Ficou em silêncio por um momento, e pensei que estivesse organizando os pensamentos para responder, mas, então, seu queixo começou a tremer. Quando não pôde evitar, pressionou o rosto no travesseiro e começou a chorar.

Meu Deus, Quinn. Eu me senti tão culpado. Apenas a envolvi nos braços e a abracei até que parou de chorar.

Não a pressionei para que falasse sobre o sonho porque não queria que fosse obrigada a relembrá-lo. Não sei se sonhou que estava grávida ou que tivemos um filho, mas, o que quer que fosse, era algo que a deixou arrasada ao acordar e se dar conta de que havia sido apenas um sonho.

Já se passaram seis dias, e não tenho perguntado sobre seus sonhos desde aquela manhã. Não quero fazer você passar por isso outra vez. Com sorte, um dia brincaremos de novo, mas prometo não perguntar mais até que, enfim, seja mãe.

É duro. Sei que não esperávamos nos deparar com esse tipo de obstáculos quando casamos. E sinceramente, Quinn, tento carregá-la sobre eles, mas você é tão independente. Você tenta não chorar na minha frente. Você se esforça para sorrir e dar risada, e finge ainda ter esperança, mas essa situação está mudando você. Está te deixando triste e te enchendo de culpa.

Sei que, às vezes, você se sente mal porque pensa que está me roubando a chance de ser pai. Mas não me importo com isso. Se me disser hoje que desistiu de engravidar, vou me sentir aliviado, porque significa que, talvez, você pare de ficar triste. Só me sujeito a esses processos de fertilização porque sei que quer ser mãe, mais que qualquer coisa. Eu caminharia sobre o fogo para ver você feliz; daria tudo o que tenho para ver um sorriso genuíno em seu rosto. Se precisássemos abdicar de sexo para sempre, eu faria isso. Caramba, até me privaria de queijo para enfim ver você realizar seu sonho. E você sabe o quanto amo queijo.

Jamais lhe diria isso porque sei que uma parte de você me entenderia mal, mas acho que meus momentos prediletos, no último ano, aconteceram todos fora de casa. Quando saímos com nossos amigos ou visitamos nossos pais. Percebi que, quando estamos em casa, você tem se tornado um pouco mais arredia se eu te toco ou te beijo. Costumávamos não conseguir manter as mãos longe um do outro, mas algo mudou no início desse ano. E sei que tem a ver com o fato de o sexo ter se tornado tão clínico entre nós que se transformou em rotina para você. Até mesmo, talvez, em algo um pouco doloroso, porque nunca leva ao resultado que espera. Às vezes, quando estamos sozinhos e eu a beijo, você não reage como costumava fazer. Não se afasta, mas mal retribui.

Você parece me curtir mais quando sabe que um beijo tem que ficar por isso mesmo. Em público, você reage e se abre para mim, e sei que é uma diferença sutil, mas existe diferença. Acho que nossos amigos pensam que somos o casal mais carinhoso que conhecem, porque estamos sempre nos tocando. Com certeza supõem que nossa vida privada é ainda mais afetuosa.

Mas, na verdade, foi nossa vida privada que estagnou. E não estou reclamando, Quinn. Não casei com você apenas pelos anos bons. Não casei com você apenas pela química incrível que temos. E seria ridículo pensar que nosso casamento poderia durar uma eternidade sem alguns momentos difíceis. Por isso, embora este ano tenha sido o mais duro até então, de uma coisa eu tenho absoluta certeza. Eu te amo mais este ano que em qualquer outro.

Sei que, às vezes, me sinto frustrado. Às vezes, sinto falta de fazer amor por impulso, não por obrigação. Mas por favor, mesmo quando eu me frustrar, peço que se lembre de que sou apenas humano. E por mais que eu prometa ser um alicerce pelo tempo que você precisar, tenho certeza de que vou fracassar ocasionalmente. Meu propósito na vida é fazer você feliz, e, às vezes, já não me sinto capaz disso. Às vezes, desisto de mim mesmo.

Mas rezo para que você não desista de mim também.

Eu amo você, Quinn. Espero que esta seja a última carta deprimente que eu escreva. Tenho esperança de que, no ano que vem, minha carta trará apenas boas-novas.

Até lá, vou continuar a te amar mais e mais a cada obstáculo enfrentado do que amava quando tudo era perfeito.

Graham.

P.S.: Não sei por que só falei das coisas estressantes. Tanta coisa boa aconteceu nos últimos anos. Compramos uma casa com um quintal enorme e passamos os dois primeiros dias batizando cada cômodo.

Você foi promovida há alguns meses. Agora só precisa ir ao escritório uma ou duas vezes por semana; escreve a maior parte dos textos para a firma de propaganda de casa, algo que adora. E temos conversado sobre a possibilidade de eu abrir meu escritório de contabilidade. Estou trabalhando em um plano de negócios. E Caroline nos deu outra sobrinha.

Só coisas boas, Quinn.
Tantas coisas boas.

***

Querida Quinn,

Temos tentado.

Temos tentado engravidar. Tentado adotar. Tentado fingir que estamos bem. Tentado esconder as lágrimas um do outro.

É no que nosso casamento se transformou. Uma série de tentativas, quase nenhum êxito.

Acredito, de verdade, que poderíamos ter enfrentado qualquer categoria 5, mas acho que este ano tem sido categoria 6. Por mais que deseje estar enganado e por mais que não queira admitir, tenho a impressão de que abriremos a caixa em breve. Motivo pelo qual estou em um voo para a casa de sua irmã enquanto escrevo esta carta. Ainda estou lutando por algo que nem mesmo sei se é o que você quer.

Sei que a decepcionei, Quinn. Talvez tenha sido autossabotagem ou, quem sabe, eu não seja o homem que pensei que poderia ser por você. De qualquer forma, estou muito decepcionado comigo. Eu te amo muito mais do que minhas ações têm demonstrado, e poderia usar esta carta inteira para dizer o quanto me arrependo. Poderia escrever um livro inteiro com minhas desculpas e, ainda assim, não seria capaz de descrever meu arrependimento.

Não sei por que fiz o que fiz. Nem consigo explicar, mesmo quando tentei, naquela noite, em seu carro. É difícil colocar em palavras porque ainda estou tentando processar tudo isso. Não fiz aquilo por uma atração fatal à qual não consegui resistir. Não fiz porque sentia falta do sexo com você. E, embora eu tenha tentado me convencer de que fazia aquilo porque ela me lembrava você, sei como soa idiota. Nunca deveria ter lhe dito isso. Você tem razão, de certo modo, parecia que eu estava culpando você, o que nunca foi minha intenção. Você não é responsável por meus atos.

Não quero falar sobre isso, mas preciso. Você pode pular esta parte da carta se não quiser ler, mas tenho que destrinchar o assunto e, por alguma razão, escrever sobre as coisas nessas cartas sempre parece me ajudar a organizar os pensamentos. Sei que deveria ser capaz de me expressar melhor, mas sei que nem sempre você quer ouvir.

Acredito que comecei a me sentir assim em um dado momento na casa de minha irmã. Suponho que poderia chamar de epifania, mas soa como uma palavra muito positiva para descrever o que estava sentindo. Aconteceu no dia em que devíamos conhecer nosso novo sobrinho, mas você disse que ficou presa no trânsito.

Sei que era mentira, Quinn.

Sei porque, quando eu estava saindo da casa de Caroline, vi o presente que compramos na sala. O que significa que você havia estado ali em algum momento de minha visita, mas, por algum motivo, não quis que eu soubesse.

Pensei no assunto enquanto dirigia para casa, depois de ter saído da de Caroline. E só pude pensar em uma única coisa que a faria negar que estivera lá; você me viu na sala de Caroline, com Caleb no colo. E, se viu isso, deve ter ouvido o que Caroline falou para mim, e o que respondi. Sobre como me sentia arrasado por ainda não ser pai. Por mais que deseje retirar o que disse, não posso fazer isso. Mas preciso que entenda por que falei aquilo.

Não conseguia parar de admirá-lo, enquanto o segurava no colo, porque ele meio que se parece comigo. Nunca segurei as meninas quando eram tão pequenas, então Caleb foi o ser humano mais minúsculo que já aninhei nos braços. E me fez imaginar como aquilo faria você se sentir, caso estivesse ali. Teria se sentido orgulhosa de me ver com meu sobrinho? Ou teria ficado decepcionada que nunca me veria acalentar assim um bebê só nosso?

Acho que Caroline percebeu a expressão em meu rosto enquanto eu o segurava, e pensou que eu o observava com tamanha intensidade porque queria um filho meu. Mas, na verdade, eu o encarava e me perguntava se você continuaria a me amar, mesmo que nunca me tornasse a única coisa que gostaria que eu fosse.

Sei que Caroline estava apenas me parabenizando quando disse que eu seria um bom pai. Mas a razão para eu ter dito que me sentia arrasado por ainda não haver acontecido era porque estava arrasado por você. Por nosso futuro. Porque foi apenas naquele momento que me dei conta de que, talvez, eu nunca seria suficiente para você.

Pouco depois, estava saindo da casa de minha irmã quando vi o presente e soube que você havia estado ali. Eu não quis ir para casa. Não quis confrontá-la, porque tinha medo de que confirmasse meus medos, então dirigi sem rumo. Mais tarde naquela noite, quando voltei para casa, você me perguntou se eu tinha segurado Caleb. Então menti, pois queria ver sua reação a minha mentira. Esperava ter me enganado, você não havia, de fato, estado na casa de minha irmã. Talvez o presente fosse de outra pessoa, somente parecido com o que havíamos comprado. Mas, assim que vi sua reação, soube que estivera lá.

E, como continuava escondendo o fato, sei que devia ter ouvido nossa conversa. O que sugeria que também me viu com Caleb no colo. Fiquei preocupado que essa visão, seu marido segurando um recém-nascido como um pai, acabaria gravada em sua mente e a entristeceria toda vez que me olhasse e eu não fosse um pai. Você chegaria à conclusão de que o único modo de se livrar dessas imagens seria se eu saísse de sua vida de uma vez por todas.

Tenho me preocupado com muitas coisas desde que nos casamos, mas acho que nunca havia me preocupado conosco até aquele momento. Tenho lutado para ser sua força há tanto tempo que jamais me ocorreu que posso não ser mais o que a fortalece. E se sou parte daquilo que lhe causa dor?

Eu queria que me confrontasse por mentir. Queria que gritasse comigo por dizer a Caroline que estava arrasado por ainda não ser pai. Queria alguma coisa de você, Quinn. Qualquer coisa. Mas você guarda todos os seus pensamentos e sentimentos com tanto cuidado; vem se tornando impossível decifrá-la.

Mas você não é a única impossível de decifrar. Eu devia ter sido honesto com você naquela noite. No momento em que soube que tinha aparecido na casa de Caroline, eu devia ter dito algo. Mas, em algum lugar entre o dia de nosso casamento e hoje, perdi a coragem. Eu me tornei covarde demais para ouvir o que se passa, de fato, em sua cabeça e em seu coração, então tenho minha parcela de culpa por não encarar a situação. Se não a forçasse a conversar sobre o problema, nunca precisaria enfrentar a ideia de que nosso casamento estava em crise. Enfrentamento gera ação. Fuga gera inércia.

Tenho sido um marido inerte nesses últimos anos, e lamento muito.

Na noite em que menti sobre segurar Caleb, eu me lembro de ver você entrar em seu escritório. Foi a primeira vez que tive a impressão de que, talvez, precisássemos do divórcio.

O pensamento não me ocorreu porque eu não era feliz com você. A ideia surgiu porque senti que já não fazia mais você feliz. Tive a sensação de que a decepcionava, fazia você afundar cada vez mais dentro de si mesma.

Caminhei até a sala de estar e me sentei no sofá, ruminando as novas possibilidades que se abririam para você caso eu a deixasse. Talvez, se não estivesse presa a mim, poderia conhecer, em algum momento, um homem que já tivesse filhos. Poderia se apaixonar por ele e ser a madrasta das crianças, e devolver certo arremedo de felicidade a sua vida.

Eu desmoronei, Quinn. Bem ali em nossa sala. Naquele momento, me dei conta de que não mais lhe trazia felicidade. Havia me tornado uma das muitas coisas contribuindo para seu sofrimento.

Creio ser esse o caso já há algum tempo, mas, por algum motivo, não fui capaz de admitir até recentemente. E, ainda assim, levou um tempo para que, enfim, me permitisse acreditar.

Sinto como se tivesse fracassado com você. Mas, mesmo sabendo disso, jamais teria tomado a decisão de te deixar. Eu tinha certeza. Mesmo acreditando que você seria mais feliz se eu fosse embora, fui egoísta demais para libertar você. Sei o que me aconteceria se te deixasse, e isso me aterrorizava. Às vezes o medo de não ter você em minha vida superava o desejo de vê-la feliz.

Acho que foi por isso que fiz o que fiz. Porque sabia que nunca seria generoso o bastante para te deixar. Eu me permiti agir de maneira completamente dissonante de minha personalidade, porque, se me sentisse indigno de você, seria mais fácil me convencer de que você merecia alguém melhor que eu.

É tudo tão confuso.

Nem sei como chegamos a esse ponto. Sou incapaz de analisar nosso casamento em retrospecto e apontar o dia em que meu amor passou a ser algo do qual você se ressentia, e não algo que apreciava.

Costumava acreditar que, se você ama muito alguém, esse amor pode enfrentar qualquer coisa. Desde que duas pessoas continuem apaixonadas, então nada pode separá-las. Nem mesmo uma tragédia.

Mas agora percebo que uma tragédia pode destruir até mesmo a mais forte das coisas.

Você pode ter uma das mais belas vozes de todos os tempos, mas, ainda assim, uma lesão na garganta acabaria com sua carreira. Você pode ser o mais rápido velocista do mundo, mas, ainda assim, uma contusão nas costas mudaria tudo. Você pode ser o mais inteligente professor de Harvard, mas, ainda assim, um derrame o forçaria a uma aposentadoria prematura.

Você pode amar sua esposa como nenhum homem jamais amou uma esposa, mas, ainda assim, uma angustiante luta contra a infertilidade transformaria esse amor em ressentimento.

Mas, mesmo desgastados por anos de tragédias, ainda me recuso a desistir. Não tenho ideia se viajar para a Europa com a caixa que fechamos na noite de núpcias fará alguma diferença. Não sei se um gesto grandioso vai convencê-la de como minha vida fica incompleta sem você. Mas me recuso a passar outro dia sem tentar lhe provar como crianças perdem a importância quando comparadas a nosso futuro. Não preciso de filhos, Quinn. Só preciso de você. Não sei como deixar mais evidente.

Mas, ainda assim, não importa o quanto eu esteja satisfeito com essa vida, não quer dizer que você esteja satisfeita com a sua.

Quando eu chegar à Europa, uma decisão definitiva vai ser tomada, e desconfio de que não vou querer concordar com ela. Se puder adiar essa conversa para sempre a fim de evitar que você decida abrir a caixa, eu o farei. Mas foi aí que erramos. Paramos de conversar sobre todas as coisas que jamais deveriam ter sido silenciadas.

Não faço mais ideia do que é melhor para nós. Quero estar com você, mas não quero ficar com você quando minha presença lhe causa tanta dor. Muita coisa mudou entre nós desde que fechamos a caixa na noite de nosso casamento. Nossas circunstâncias mudaram. Nossos sonhos mudaram. Nossas expectativas mudaram. Mas a coisa mais importante entre nós nunca mudou. Perdemos muito de nós mesmos nesse casamento, mas jamais deixamos de nos amar. É a única coisa que aguentou firme frente aos momentos de categoria 5. Compreendo agora que, às vezes, duas pessoas podem perder a esperança ou o desejo ou a felicidade, mas perder tudo isso não quer dizer que foram derrotadas.

Ainda não fomos derrotados, Quinn.

E não importa o que tem acontecido desde que fechamos essa caixa, ou o que vai acontecer quando a abrirmos, prometo amá-la custe o que custar.

Prometo amá-la mais quando estiver magoada do que quando se sentir feliz.

Prometo amá-la mais quando formos pobres do que quando estivermos nadando em dinheiro.

Prometo amá-la mais quando você chorar do que quando sorrir.

Prometo amá-la mais quando estiver doente do que quando estiver saudável.

Prometo amá-la mais quando me odiar do que quando me amar.

Prometo amá-la mais como uma mulher sem filhos do que a amaria se fosse mãe.

E prometo... Juro... que se escolher terminar tudo entre nós, vou amá-la mais quando cruzar a porta do que quando cruzou a nave de areia até mim.

Espero que escolha o caminho que a faça mais feliz. Mesmo que não seja uma escolha que eu ame, vou sempre amar você. Quer eu seja parte de sua vida ou não. Você merece ser feliz mais que qualquer pessoa que conheço.

Amo você. Para sempre.
Graham.

Não sei por quanto tempo choro depois de ler a última carta. Tempo o bastante para sentir um peso na cabeça e pontadas no estômago, e para gastar meia caixa de lenços de papel. Choro por tanto tempo que me perco na dor.

Graham me abraça.

Não sei quando entrou no quarto, ou quando se ajoelhou na cama, ou quando me puxou de encontro ao peito.

Ele não faz ideia de minha decisão. Não faz ideia se as palavras prestes a sair de minha boca serão agradáveis ou odiosas. No entanto, continua aqui, me abraçando enquanto choro, simplesmente porque o magoa me ver assim.

Beijo seu peito, bem acima do coração. E não sei se leva cinco minutos ou meia hora, mas, quando enfim paro de chorar tempo o bastante para falar, afasto a cabeça de seu peito e o encaro.

— Graham — sussurro. — Eu te amo mais hoje do que jamais amei.

Logo que as palavras saem de minha boca, as lágrimas começam a cair de seus olhos.

— Quinn — diz ele, segurando meu rosto. — *Quinn...*

É tudo o que consegue dizer. Está chorando demais para acrescentar qualquer coisa. Ele me beija, e eu retribuo com tudo o que há em mim, uma tentativa de compensar por todos os beijos que lhe neguei.

Fecho os olhos, repetindo as palavras que mais me tocaram em sua carta.

Ainda não fomos derrotados, Quinn.

Ele está certo. Podemos ter desistido ao mesmo tempo, mas isso não significa que não podemos recuperar a esperança. Quero lutar por ele. Quero lutar por ele com a mesma determinação que ele vem lutando por mim.

— Lamento tanto, Quinn — murmura de encontro a meu rosto. — Por tudo.

Balanço a cabeça, sequer desejando um pedido de desculpas. Mas sei que precisa de meu perdão, então o dou a ele.

— Eu perdoo você. Com todo o meu ser, Graham. Eu o perdoo e não culpo você, eu lamento também.

Graham me envolve em seus braços e me aperta. Ficamos naquela posição por tanto tempo que minhas lágrimas secam, mas ainda me agarro a ele com todas as forças. E vou fazer o possível para me assegurar de jamais deixá-lo escapar outra vez.

Capítulo vinte e nove

Antes

Não consigo imaginar um jeito melhor de terminar nosso primeiro aniversário de casamento do que enrolados em um cobertor no pátio, escutando as ondas quebrando na areia. É o momento perfeito para o presente perfeito.

— Tenho uma coisa para você — digo a Graham.

Em geral, é ele que me surpreende com presentes, então o fato de que trouxe algo para ele prende sua atenção. Ele me encara com expectativa e afasta o cobertor de mim, me empurrando para fora da cadeira. Corro até a casa e, em seguida, volto com seu presente. Está embrulhado com papel natalino, embora ainda falte muito para o Natal.

— Foi o que consegui arrumar — explico. — Não tive tempo de embrulhar o presente antes de sair, então tive que me virar com o que havia no armário daqui.

Ele começa a abrir o presente, mas, antes mesmo que rasgue o papel, disparo:

— É um cobertor. Eu mesma fiz.

Ele solta uma risada.

— Você é péssima com surpresas. — Ele afasta o papel de embrulho e revela o cobertor que fiz a partir de retalhos de nossas roupas. — Isso é... — Ele ergue um dos pedaços de sua camisa de trabalho e solta uma risada.

Às vezes temos problemas em manter nossas roupas intactas quando estamos nos despindo. Acho que devo ter rasgado, no mínimo, meia dúzia das camisas de Graham. Graham rasgou várias minhas. Às vezes faço aquilo pela dramaticidade dos botões saltando. Nem me lembro de como começou, mas se tornou uma brincadeira para nós. Um jogo caro. E foi por isso que resolvi dar uma utilidade às roupas estragadas.

— É o melhor presente que já ganhei. — Ele joga o cobertor sobre o ombro e, em seguida, me pega no colo. Ele me carrega para dentro e me coloca sobre a cama. Rasga minha camisola, então rasga a própria camisa para se exibir. A cena inteira me faz rir, até que ele deita sobre mim e sufoca meu riso com a língua.

Graham levanta meu joelho e começa a me penetrar, mas empurro seu peito.

— Precisamos de uma camisinha — sussurro, sem fôlego.

Na semana passada, comecei a tomar antibióticos por causa de uma gripe e por isso havia parado com a pílula. Tivemos que usar camisinha a semana toda como método contraceptivo.

Graham rola de cima de mim e caminha até sua bolsa de viagem. Pega uma camisinha, mas não volta de imediato à cama. Apenas olha para a embalagem. Então a joga de volta na bolsa.

— O que está fazendo?

— Não quero usar hoje — responde ele, com uma grande dose de confiança.

Não retruco. Ele não quer usar camisinha? Estou entendendo errado?

Graham caminha de volta para a cama e se deita sobre mim novamente. Ele me beija, depois recua.

— Às vezes penso no assunto. Em você, grávida.

— Pensa? — Não esperava por aquilo. Hesito por um momento antes de continuar: — Só porque pensa no assunto não quer dizer que esteja pronto.

— Mas estou. Quando penso nisso, fico empolgado. — Ele rola de lado e coloca uma das mãos sobre minha barriga. — Acho que você deve parar de tomar a pílula.

Seguro sua mão, atônita com o quanto quero beijá-lo e rir e guiá-lo para dentro de mim. No entanto, por mais que me sinta preparada para ter filhos, não quero que ele faça aquela escolha a não ser que esteja tão seguro quanto eu.

— Tem certeza?

A ideia de nos tornarmos pais me enche de um amor incondicional por meu marido. Tanto que sinto uma lágrima escorrer pelo rosto.

Graham vê a lágrima e sorri quando a enxuga com o polegar.

— Amo que você me ame tanto que, às vezes, isso te faça chorar. E amo que a ideia de termos um filho faça você chorar. Amo o quanto você transborda de amor, Quinn.

Ele me beija. Não acredito que elogie seu beijo o suficiente. Ele tem o melhor beijo que já experimentei. Não sei o que faz seus beijos diferentes dos beijos dos homens que conheci no passado, mas são muito melhores. Às vezes tenho medo de que se canse de me beijar, já que o beijo sem parar. Não suporto ficar ao seu lado sem prová-lo.

— Você beija realmente muito bem — sussurro.

Graham ri.

— Só porque é você quem estou beijando.

Nós nos beijamos ainda mais que o normal quando fazemos amor. E sei que fizemos amor centenas de vezes antes dessa noite.

Talvez até milhares de vezes. Mas dessa vez parece diferente. É a primeira vez que não existe uma barreira nos impedindo de criar uma vida juntos. É como se fizéssemos amor com um propósito.

Graham goza dentro de mim, e é uma sensação maravilhosa, saber que nosso amor pode estar criando algo ainda maior que nosso amor um pelo outro. Nem sequer sei se é possível. Como posso amar alguém tanto ou ainda *mais* do que amo Graham?

Tem sido um dia perfeito.

Tenho vivido muitos momentos perfeitos, mas dias inteiramente perfeitos são raros. É necessário o clima perfeito, a companhia perfeita, a comida perfeita, o itinerário perfeito, o humor perfeito.

Eu me pergunto se as coisas serão sempre perfeitas assim. Agora que decidimos começar uma família, parte de mim imagina se existe um nível de perfeição que ainda não atingimos. Como as coisas serão no ano que vem, quando é provável que sejamos pais? Ou daqui a cinco anos? Dez? Às vezes eu queria ter uma bola de cristal que pudesse mostrar o futuro. Gostaria de saber tudo.

Estou traçando um caminho invisível com os dedos sobre seu peito quando ergo o olhar para ele.

— Como você nos imagina daqui a dez anos?

Graham sorri. Ele ama especular sobre o futuro.

— Com sorte, teremos nossa própria casa em dez anos — responde ele. — Nada muito grande, nem muito pequeno. Mas o quintal vai ser enorme e vamos brincar ao ar livre com as crianças o tempo todo. Vamos ter dois filhos; um menino e uma menina. E você vai estar grávida de um terceiro.

Aquele pensamento me faz sorrir. Ele reage a meu sorriso e continua a falar:

— Você ainda vai escrever, mas de casa e apenas quando sentir vontade. Vou ter meu próprio escritório de contabilidade. Você vai dirigir uma minivan porque, óbvio, seremos aqueles pais que levam os filhos para os jogos de futebol e para a ginástica. — Graham sorri para mim. — Vamos fazer amor o tempo todo. Com certeza não com a mesma regularidade de agora, porém mais que todos os nossos amigos.

Pouso a mão em seu peito.

— Soa como a vida perfeita, Graham.

Porque é. Mas *qualquer* vida com Graham parece perfeita.

— Ou... — emenda ele. — Talvez nada mude. Talvez ainda moremos em um apartamento. Talvez ainda estejamos nos esforçando financeiramente, porque pulamos de emprego em emprego. Talvez nem sejamos capazes de engravidar, então não teremos um quintal enorme ou uma minivan. Vamos continuar dirigindo os mesmos carros de merda daqui a dez anos. Talvez absolutamente nada mude e, daqui a dez anos, nossa vida continue igual ao que é agora. E só teremos um ao outro.

Assim como aconteceu quando descreveu o primeiro cenário, um sorriso sereno se abre em meu rosto.

— Também soa como a vida perfeita. — E soa mesmo. Contanto que eu esteja com Graham, não creio que a vida possa ser menos do que é agora. E nesse momento ela é incrível.

Relaxo em seu peito e adormeço com o sentimento mais tranquilo no coração.

Capítulo trinta

Agora

— Quinn.

Sua voz soa rouca em meu ouvido. É a primeira manhã, depois de um longo tempo, em que eu havia sido capaz de acordar com um sorriso no rosto. Abro os olhos, e Graham parece uma pessoa completamente diferente do homem arrasado que entrou pela porta da casa de Ava e Reid, ontem à noite. Ele beija meu rosto, em seguida se afasta, tirando meu cabelo do rosto.

— O que eu perdi enquanto você dormia?

Senti tanta falta daquelas palavras. É uma das coisas das quais mais havia sentido saudade entre nós. Significam ainda mais agora, pois sei que só parou de perguntar porque não queria me magoar. Estendo a mão para seu rosto e acaricio sua boca com o polegar.

— Sonhei com nós dois.

Ele beija a ponta de meu dedo.

— Foi um sonho bom ou um sonho ruim?

— Bom — respondo. — Mas não foi um clássico sonho sem pé nem cabeça. Era quase uma memória.

Graham coloca a mão entre a cabeça e o travesseiro.

— Quero saber de cada detalhe.

Espelho sua posição, sorrindo, quando começo a lhe contar sobre o sonho.

— Era nosso primeiro aniversário de casamento. A noite em que decidimos começar uma família. Eu perguntei como você imaginava que estaríamos daqui a dez anos. Você lembra?

Graham balança a cabeça.

— Vagamente. Como imaginei que estaríamos?

— Você disse que teríamos filhos e que eu ia dirigir uma minivan e que iríamos viver em uma casa com um quintal espaçoso, onde brincaríamos com as crianças. — O sorriso de Graham vacila. Desfaço sua carranca com os dedos, querendo ver seu sorriso outra vez. — É estranho, porque esqueci completamente dessa conversa até que sonhei com ela noite passada. Mas não fiquei triste, Graham. Porque, depois, você disse que poderíamos não ter nada disso. Disse que havia uma chance de pularmos de emprego em emprego, e que talvez não conseguíssemos ter filhos. E que, talvez, nada entre nós estivesse diferente daqui a dez anos, e que tudo que teríamos seria um ao outro.

— Eu me lembro disso — sussurra ele.

— Você se lembra do que eu respondi?

Ele balança a cabeça.

— Eu disse: "Também soa como a vida perfeita."

Graham ofega, como se tivesse esperado uma vida inteira pelas palavras que estou lhe dizendo.

— Me desculpe por ter me esquecido do que realmente importa — murmuro. — De nós. Você sempre bastou para mim. Sempre.

Ele me encara como se tivesse sentido falta de meus sonhos tanto quanto de mim.

— Amo você, Quinn.

— Também amo você.

Ele pousa os lábios em minha testa, depois em meu nariz. Eu o beijo no queixo, e ficamos deitados, aconchegados um ao outro.

Pelo menos até o momento ser arruinado pelo ronco de meu estômago.

— Sua irmã tem algo de comer por aqui? — Graham me puxa para fora da cama, e vamos até a cozinha, em silêncio. Não são nem oito da manhã, então Ava e Reid continuam dormindo. Graham e eu vasculhamos a cozinha, atrás de tudo o que precisamos para fazer panquecas e ovos. Ele acende o fogão, e eu misturo os ingredientes quando noto a caixa de madeira que ele fez para mim sobre o balcão.

Deixo o mixer de lado e caminho até a caixa. Passo a mão sobre a tampa, me perguntando se as coisas teriam terminado diferentes entre nós caso Graham não nos tivesse dado esse presente em nossa noite de núpcias. Ainda me lembro de lhe escrever a carta de amor. Também me lembro de colocar minha foto nua no envelope. Imagino o quão diferente estou do dia em que tirei aquela foto.

Abro a caixa para pegar sua carta, mas, assim que o faço, noto alguns pedaços de papel no fundo. Um deles é o Post-it amarelo que deixei preso, por seis meses, na parede do lado de minha porta. Os outros dois são nossas sortes.

Eu as pego e leio.

— Não acredito que você guardou essas coisas por todo esse tempo. É tão fofo.

Graham caminha em minha direção.

— Fofo? — Ele tira uma das sortes de minhas mãos. — Não é fofo. É a prova de que o destino existe.

Balanço a cabeça e aponto para sua sorte.

— Sua sorte diz que você teria sucesso em uma grande empreitada comercial naquele dia, mas você nem foi trabalhar. Como isso prova que somos almas gêmeas?

Seus lábios se abrem em um sorriso.

— Se eu tivesse ido trabalhar naquele dia, nunca teria encontrado você, Quinn. Eu diria que é o maior sucesso relacionado ao trabalho que já tive.

Inclino a cabeça, me perguntando por que jamais analisei sua sorte sob aquele ponto de vista.

— E... ainda tem isso. — Graham vira sua sorte e a ergue para mim, apontando para o número oito no verso do papel.

Eu baixo o olhar e leio o número no verso da minha. Um oito.

Dois números oito. *A data em que nos reencontramos há tantos anos.*

— Você mentiu para mim — acuso, encontrando seu olhar. — Você disse que estava brincando sobre os números no verso do papel.

Graham tira a sorte de minha mão e, com cuidado, coloca as duas dentro da caixa.

— Não queria que se apaixonasse por mim graças ao destino — explica ele, fechando a caixa. — Queria que você se apaixonasse por mim apenas porque não pôde evitar.

Sorrio e o encaro com admiração. Amo como ele é sentimental. Amo por acreditar em destino mais do que acredita em coincidências. Amo por acreditar que *eu* seja seu destino.

Fico na ponta dos pés e o beijo. Ele agarra minha nuca com as duas mãos e retribui meu beijo com a mesma admiração.

Após alguns instantes nos beijando, e algumas tentativas frustradas de parar, ele se desvencilha de mim e balbucia algo sobre panquecas queimando e vai até o fogão. Levo os dedos aos lábios e sorrio ao me dar conta de que ele acabou de me beijar, e não senti a menor vontade de me afastar. Na verdade, queria que o beijo tivesse durado ainda mais. É uma sensação que eu não tinha certeza se seria capaz de experimentar novamente.

Cogito puxá-lo de volta, porque quero mesmo beijá-lo outra vez. Mas também quero panquecas, então o deixo cozinhar. Eu me volto para a caixa de madeira e estendo a mão para pegar a carta que escrevi para Graham. Agora que sinto que estamos no caminho da cura, tenho vontade de ler as palavras que escrevi para ele quando estávamos começando essa jornada juntos. Viro o envelope para tirar a carta, mas o envelope ainda está colado.

— Graham? — Dou meia-volta. — Você não leu a sua?

Graham olha por cima do ombro e sorri para mim.

— Não precisei, Quinn. Vou ler no nosso aniversário de vinte e cinco anos de casamento.

Ele volta a atenção para o fogão e continua a cozinhar, como se não tivesse acabado de dizer algo que parece mais curativo que qualquer coisa que já me disse ou fez.

Baixo o olhar para a carta, um sorriso no rosto. Mesmo com a tentação de minha foto nua, ele estava tão seguro de seu amor por mim que não precisou ler minha carta como garantia.

De súbito, quero escrever outra carta para acompanhar esta. Na verdade, é possível que eu comece a fazer o que ele tem feito durante todos esses anos, e colocar mais cartas na caixa. Quero lhe escrever tantas cartas que, quando finalmente reabrirmos essa caixa pelos motivos certos, ele vai ter cartas para ocupá-lo por uma semana.

— Como nos imagina em nosso aniversário de vinte e cinco anos de casamento? — pergunto.

— Juntos — responde ele, objetivo.

— Acha que um dia vamos sair de Connecticut?

Ele me encara.

— Você quer?

Dou de ombros.

— Talvez.

— Penso nisso algumas vezes — confessa ele. — Já tenho alguns clientes particulares alinhavados. Se conseguir mais alguns, isso permitiria a mudança, mas provavelmente iria ganhar menos. Mas podemos viajar por um ano ou dois. Talvez mais, se gostarmos.

Essa conversa me lembra da noite em que falei com minha mãe, nos degraus de sua casa. Não dou muito crédito em geral, mas ela tem razão. Posso passar meu tempo concentrada na versão perfeita da vida que jamais terei, ou posso passar meu tempo aproveitando a vida que *tenho*. E a vida que tenho pode ser tão cheia de oportunidades se eu conseguir sair de minha cabeça tempo o suficiente para correr atrás dessas oportunidades.

— Eu costumava querer ser tantas coisas antes de ficar obcecada com a ideia de ser mãe.

Graham me lança um sorriso doce.

— Eu lembro. Você queria escrever um livro.

Faz tanto tempo que conversamos sobre o assunto que fico surpresa que se lembre.

— Queria. Ainda quero.

Ele está sorrindo para mim quando dá meia-volta para virar o restante das panquecas.

— O que mais você quer fazer, além de escrever um livro?

Eu me aproximo e paro ao seu lado no fogão. Ele me envolve com um dos braços enquanto cozinha com a outra mão. Pouso a cabeça em seu ombro.

— Quero ver o mundo — respondo, baixinho. — E gostaria de aprender outra língua.

— Talvez devêssemos nos mudar aqui para a Itália e aproveitar o professor de Ava.

Seu comentário me faz rir, mas Graham solta a espátula e me encara com um brilho nos olhos. Ele se apoia no balcão.

— Vamos fazer isso. Vamos nos mudar para cá. Não tem nada nos prendendo.

Inclino a cabeça e olho para ele.

— Você está falando sério?

— Seria divertido tentar algo novo. E nem precisa ser na Itália. Podemos nos mudar para onde você quiser.

Meu coração começa a bater acelerado com a ideia de fazer algo tão insano e espontâneo.

— Gosto daqui — digo. — Muito. E sinto saudades de Ava.

Graham assente.

— Sim, e eu confesso que sinto falta de Reid. Mas nunca repita isso.

Tomo impulso e me sento no balcão, ao lado do fogão.

— Semana passada, fui dar um passeio e vi um chalé para alugar a algumas ruas daqui. Podíamos experimentar por um tempo.

Graham me olha como se estivesse apaixonado pela ideia. Ou talvez esteja me olhando como se estivesse apaixonado por *mim*.

— Vamos lá hoje.

— Ok — concordo, entre risadinhas. Eu me pego mordendo a bochecha para conter o sorriso, mas, de repente, paro de tentar contê-lo. Se tem uma coisa que Graham merece é que minha felicidade seja transparente. E esse momento é o primeiro, em um longo tempo, em que eu sinto tamanha alegria. Quero que ele também a sinta.

É como se fosse a primeira vez que eu, de fato, acredito que vai ficar tudo bem. Que *nós* vamos ficar bem. É a primeira vez que olho para ele sem me sentir culpada por tudo o que não posso lhe dar, porque sei como está agradecido por tudo o que *posso* lhe dar.

— Obrigada — sussurro. — Por tudo o que disse em suas cartas.

Ele se encaixa entre minhas pernas, colocando as mãos em meus quadris. Abraço seu pescoço e, pela primeira vez em muito tempo, beijo meu marido e me sinto plena de gratidão. Sei que minha vida, como um todo, não tem sido perfeita, mas estou, enfim, começando a apreciar todas as coisas perfeitas que a compõem. Há tantas delas. Meu trabalho flexível, meu marido, meus sogros, minha irmã, minhas sobrinhas, meu sobrinho.

Aquele pensamento me faz hesitar. Eu me afasto e encaro Graham.

— O que minha sorte dizia? Você sabe de cor?

— Se você iluminar apenas suas imperfeições, todas as suas qualidades ficarão na sombra.

Penso na frase por um instante. Em como aquela sorte é perfeita para minha vida. Havia desperdiçado tanto tempo colocando todo o foco em minha infertilidade. Tanto que meu marido e todas as outras coisas perfeitas em minha vida foram forçadas a ficar na sombra.

Desde o momento em que abrimos aqueles biscoitos da sorte, eu jamais os levara a sério, mas talvez Graham tenha razão. Talvez aqueles biscoitos sejam mais que mera coincidência. E, talvez, Graham esteja certo sobre a existência do destino.

Se sim, acredito que meu destino esteja parado bem na minha frente.

Graham toca minha boca com a ponta dos dedos e, devagar, contorna o sorriso em meus lábios.

— Você não faz ideia do que esse sorriso significa para mim, Quinn. Senti tanta falta dele.

Epílogo

— Espere, olhe para isso! — Puxo Graham pela mão, fazendo-o parar na calçada outra vez. Mas não posso evitar. Quase todas as lojas dessa rua vendem as roupas de criança mais fofas que eu já tinha visto, e Max ficaria adorável no conjunto da vitrine.

Graham tenta continuar andando, mas eu o puxo pela mão até que ele se rende e entra na loja comigo.

— Quase chegamos ao carro — brinca ele. — Foi por pouco.

Empurro as sacolas com roupas de criança que já havia comprado para cima de Graham e então vou atrás da arara com roupas de bebê.

— Compro a calça verde ou a amarela? — Eu mostro as duas para Graham.

— Definitivamente, a amarela — responde ele.

A verde é mais fofa, mas respeito a escolha de Graham simplesmente porque se deu o trabalho de opinar. Ele odeia comprar roupas, e aquela provavelmente era a nona loja em que o obriguei a entrar.

— Prometo que essa é a última. Então podemos voltar para casa. — Dou um rápido beijo em seus lábios antes de me encaminhar para a caixa.

Graham me segue e tira a carteira do bolso.

— Você sabe que não me importo, Quinn. Faça compras o dia todo, se quiser. Só se faz 2 anos uma vez na vida.

Entrego as roupas à caixa.

— Essa roupa é minha preferida — diz ela, em um carregado sotaque italiano. — Ela ergue o olhar e pergunta: — Quantos anos tem seu garotinho?

— É nosso sobrinho. Amanhã é aniversário dele.

— Ah, perfeito. Quer embrulhar para presente?

— Não, uma sacola está ótima.

Ela diz o total e, enquanto Graham paga, a mulher do caixa olha para mim novamente.

— E vocês dois? Têm filhos?

Sorrio e abro a boca, mas Graham é mais rápido.

— Temos seis filhos — mente. — Mas são adultos e já saíram de casa.

Tento não rir, mas, desde que decidimos mentir para desconhecidos sobre nossa infertilidade, aquilo se tornou uma competição para ver quem conseguia ser mais ridículo. Em geral, Graham vence. Semana passada, ele disse a uma senhora que tínhamos quádruplos. Agora, tenta convencer alguém que um casal de nossa idade já teria seis filhos crescidos, morando fora de casa.

— Seis meninas — acrescento. — Ficamos tentando um menino, mas não era para ser.

A caixa fica de boca aberta.

— Vocês têm *seis* filhas?

Graham pega a sacola e a nota fiscal.

— Sim. E duas netas.

Ele sempre exagera. Seguro a mão de Graham e balbucio um "obrigada" para a moça, puxando-o para fora tão rápido quanto o trouxe para dentro. Quando estamos de novo na calçada, dou um tapa em seu braço.

— Você é tão bobo — digo, rindo.

Ele entrelaça nossos dedos enquanto começamos a caminhar.

— Devíamos inventar nomes para nossas filhas imaginárias — sugere ele. — Caso alguém insista nos detalhes.

Passamos por uma loja de artigos para cozinha quando ele diz isso, e meus olhos automaticamente caem em um porta-temperos na vitrine.

— Cúrcuma — digo a ele. — Ela é a mais velha.

Graham para e observa o porta-temperos comigo.

— Salsa é a mais nova. E Páprica e Canela são as gêmeas mais velhas.

Solto uma risada.

— Temos dois pares de gêmeas?

— Alecrim e Açafrão.

— Ok, vamos recapitular. Em ordem de nascimento: Cúrcuma, Páprica, Canela, Alecrim, Açafrão e Salsa — enumero, enquanto nos dirigimos até o carro.

Graham sorri.

— Quase. Açafrão nasceu dois minutos antes que Alecrim.

Eu reviro os olhos, e ele aperta minha mão ao atravessarmos a rua juntos.

Ainda me surpreende o quanto mudou desde que abrimos aquela caixa, há dois anos. Chegamos tão perto de perder tudo o que tínhamos construído por causa de algo fora de nosso controle. Algo que deveria ter nos aproximado, mas, ao invés disso, nos afastou.

Fuga soa como uma palavra inofensiva, mas essa palavra pode causar graves danos a um relacionamento. Fugimos de tanta coisa em nosso casamento, simplesmente por medo. Fugimos dos confrontos. Fugimos das discussões sobre os desafios que enfrentávamos. Fugimos de tudo o que nos entristecia. E, depois de um tempo, comecei a fugir completamente do outro lado de minha vida. Fugia de Graham fisicamente, o que levou a uma fuga emocional, que levou a sentimentos nunca verbalizados.

Abrir aquela caixa me fez entender que nosso casamento não precisava de um ajuste. Precisava de uma reconstrução completa, com alicerces drasticamente modificados. Comecei nossa vida juntos com certas expectativas e, quando tais expectativas não foram atendidas, eu não fazia ideia de como seguir adiante.

Mas Graham tem sido a força motriz em meu processo de cura. Finalmente, parei de me sentir triste com nosso destino. Parei de me concentrar em tudo o que jamais poderíamos ter juntos e comecei a me concentrar em tudo o que tínhamos e poderíamos ter. Não eliminou a dor de todo, mas me sinto mais feliz do que em muito tempo.

Lógico que abrir a caixa não resolveu, miraculosamente, todas as coisas. Não aplacou, de imediato, minha vontade de ter filhos, embora tenha, de fato, acirrado meu desejo por uma vida além da maternidade. Não dissolveu por completo minha aversão ao sexo, embora tenha aberto a porta para que eu aprendesse, aos poucos, como separar o sexo da esperança e da angústia. E, eventualmente, ainda choro no chuveiro, mas nunca sozinha. Choro enquanto Graham me abraça, porque ele me fez prometer que tentaria parar de esconder o peso de minha dor.

Não a escondo mais. Eu a aceito. Estou aprendendo a exibir meu esforço como uma medalha, e não me envergonhar. Estou aprendendo a não me sentir pessoalmente ofendida com a ignorância das pessoas em relação à infertilidade. E faz parte desse aprendizado compreender que é preciso senso de humor. Jamais pensei que chegaria ao ponto em que conseguiríamos transformar todas as dolorosas perguntas em um jogo. Na verdade, agora, quando estamos em público, espero ansiosamente que alguém pergunte se temos filhos. Porque sei que Graham vai dizer algo que me fará rir.

Também aprendi que ter um pouco de esperança é normal.

Durante muito tempo, eu me senti tão abatida e emocionalmente exausta que pensei que, se descobrisse um modo de perder toda a esperança, também perderia toda a expectativa e todo o desapontamento. Mas não funcionou assim. A esperança tem sido o único ponto positivo de minha infertilidade.

Nunca vou perder a esperança de que possamos, efetivamente, ter um filho nosso. Ainda me inscrevo em agências de adoção e consulto advogados. Não sei se algum dia vamos parar de tentar. Mas aprendi que, embora ainda tenha esperança de ser mãe, não significa que não posso viver uma vida plena enquanto continuo tentando.

No momento, estou feliz. E sei que vou continuar feliz daqui a vinte anos, mesmo se ainda formos apenas Graham e eu.

— Merda — resmunga Graham, quando chegamos ao carro. Ele aponta para o pneu. — Está furado.

Dou uma olhada no carro, e o pneu parece completamente vazio. Tão vazio que nenhuma bomba de ar pode salvá-lo.

— Temos estepe?

Estamos com o carro de Graham, então ele abre o porta-malas e ergue o tapete, revelando o estepe e o macaco.

— Graças a Deus — agradece ele.

Coloco as sacolas no banco de trás e o observo enquanto ele pega o pneu e o macaco. Por sorte, o pneu furado é o do lado do passageiro, que está colado à calçada, e não virado para a estrada.

Graham rola o estepe até o pneu vazio, então traz o macaco. Ele me encara com uma expressão constrangida no rosto.

— Quinn... — Ele chuta uma pedrinha na calçada, desviando o olhar.

Solto uma risada, porque sua vergonha me diz que não tem a mínima ideia do que fazer em seguida.

— Graham Wells, você nunca trocou um pneu?

Ele dá de ombros.

— Tenho certeza de que posso procurar no Google. Mas você mencionou certa vez que Ethan nunca deixava você trocar pneu. — Ele acena para a roda. — Estou lhe dando a oportunidade.

Eu sorrio. Estou adorando essa situação.

— Puxe o freio de mão.

Graham puxa o freio enquanto posiciono o macaco embaixo do carro e o prendo no lugar.

— Isso é meio sexy. — Graham se apoia em um poste de luz enquanto me observa. Pego a chave de roda e começo a afrouxar os parafusos.

Estamos em uma calçada movimentada, então duas pessoas param e perguntam se podem ajudar, pois não percebem que Graham está comigo. Nas duas ocasiões, Graham diz:

— Obrigado, mas minha mulher tem tudo sob controle.

Solto uma gargalhada quando me dou conta do que está fazendo. Durante todo o tempo que levo para trocar o pneu, Graham se vangloria para todo mundo que passa.

— Veja! Minha esposa sabe trocar um pneu.

Quando finalmente acabo, ele guarda o macaco e o pneu furado no porta-malas. Minhas mãos estão cobertas de graxa.

— Vou dar um pulo numa loja e lavar as mãos.

Graham assente e abre a porta do passageiro enquanto corro até a loja mais próxima. Quando entro no estabelecimento, sou pega de surpresa conforme olho ao meu redor. Esperava outra loja de roupas, mas me enganei. Há cercados para animais na vitrine, e um pássaro — um periquito — empoleirado em uma gaiola perto da porta.

— Ciao! — diz o pássaro, alto.

Levanto uma sobrancelha.

— Oi!

— Ciao! — grita de novo. — Ciao! Ciao!

— É a única palavra que sabe dizer — explica uma senhora, enquanto se aproxima de mim. — Está aqui para adotar ou para comprar suprimentos?

Ergo minhas mãos cheias de graxa.

— Nenhum dos dois. Estou procurando uma pia.

A mulher me indica o banheiro. Abro caminho pela loja, parando para observar os diferentes animais em suas gaiolas. Há coelhos, tartarugas, gatos e porquinhos-da-índia. Mas, quando chego aos fundos da loja, perto do banheiro, eu me detenho de súbito e prendo o fôlego.

Eu o encaro por um momento, porque ele está olhando para mim. Dois grandes olhos castanhos, olhando para mim como se eu fosse a décima quinta pessoa a passar por ali hoje. Mas, ainda assim, seus olhos brilham com esperança... de que, talvez, eu seja a primeira a realmente considerar adotá-lo. Eu me aproximo da gaiola, rodeada por diversas outras, vazias. É o único cachorro em toda a loja.

— Oi, mocinho — sussurro. Leio o bilhete no canto inferior esquerdo de sua gaiola. Embaixo da descrição em italiano, vê-se a tradução para o inglês.

Pastor alemão
Macho
Sete semanas
Disponível para adoção

Observo o bilhete por um instante, então me obrigo a ir até o banheiro. Esfrego as mãos o mais rápido que posso, pois não consigo suportar a ideia de que aquele filhote me considere apenas mais uma entre dezenas de pessoas que passaram por ali hoje, e não o levaram para casa.

Jamais fui fã de cachorros, porque nunca tive um antes. Sinceramente, jamais pensei que teria um cachorro, mas tenho a impressão de que não vou sair dessa loja sem o filhote. Antes de deixar o banheiro, pego o celular do bolso e envio uma mensagem para Graham.

Venha até a loja. Rápido.

Saio do banheiro, e, quando me vê de novo, o filhote levanta as orelhas. Então ergue a pata e a encosta na gaiola quando me aproximo. Está sentado nas patas traseiras, mas posso vê-lo abanando a cauda, como se quisesse minha atenção, mas tivesse medo de ser apenas algo fugaz e de acabar passando outra noite na gaiola.

Enfio os dedos entre as barras, e ele me cheira, depois me lambe. Sinto um aperto no coração toda vez que nossos olhares se encontram, porque vê-lo tão cheio de esperança, mas com tanto medo de se decepcionar me entristece. Esse filhote me lembra de mim mesma. Ou de como costumava me sentir.

Ouço alguém se aproximar por trás, então dou meia-volta e vejo Graham olhando para o filhote. Ele caminha até a gaiola e inclina a cabeça. O filhote olha de mim para Graham e então se levanta, incapaz de impedir o rabo de balançar.

Nem preciso dizer nada. Graham apenas assente com a cabeça e diz:

— Ei, garoto. Quer ir para casa com a gente?

* * *

— Já faz três dias — diz Ava. — Aquele pobre filhote precisa de um nome.

Ela limpa a mesa, se preparando para voltar para casa. Reid foi embora com Max há cerca de uma hora para colocá-lo na cama. Tentamos nos encontrar para jantar algumas vezes por semana, mas, em geral, vamos para casa de minha irmã, já que Max dorme cedo. Mas agora somos nós que temos um recém-nascido em casa, e, embora o recém-nascido seja um filhote, ele dorme e faz xixi e cocô como qualquer bebê humano.

— Mas é tão difícil pensar em um bom nome — suspiro. — Quero escolher um nome que signifique alguma coisa, mas descartamos cada ideia que tivemos.

— Estão sendo muito exigentes.

— Você levou oito meses para escolher o nome de seu filho. Três dias não é tanto assim para um cachorro.

Ava dá de ombros.

— É tão estranho que diga isso. Hoje, no trabalho, recebi os arquivos de meus futuros alunos de intercâmbio, que vão chegar em algumas semanas. Um deles é uma menina do Texas. O nome na certidão é Seven Marie Jacobs, mas ela atende por Six. Eu me lembrei de Graham quando soube.

— Por que é chamada de Six, se o nome na certidão é Seven?

Ava balança a cabeça.

— Não sei, mas é peculiar. Nem conheço e já gosto dessa garota. — Ava faz uma pausa e me encara. — Que tal batizá-lo com o nome de um dos personagens de seu livro?

Balanço a cabeça.

— Já pensei nisso, mas, agora que terminei o livro, aqueles personagens parecem pessoas reais. Sei que soa estranho, mas quero que o cachorro tenha um nome próprio. Eu me sentiria como se ele estivesse sendo forçado a partilhar.

— Faz sentido — admite Ava, colocando as mãos nos quadris. — Alguma notícia de sua agente?

— Ela ainda não mostrou o original a nenhum editor. Um editor interno está revisando, e depois vão tentar vender o livro.

Ava sorri.

— Espero que consiga, Quinn. Vou surtar se entrar em uma livraria e vir seu livro na prateleira.

— Eu também.

Graham entra com o filhote no colo, e Ava o encontra na porta.

— Está tarde. Preciso ir — diz ela, conversando com o filhote enquanto coça sua cabeça. — Espero que já tenha um nome quando eu vir você amanhã.

Graham e eu nos despedimos de Ava, e ele tranca a porta depois que minha irmã sai. Ele embala o filhote no colo e caminha até mim.

— Adivinhe quem foi ao banheiro duas vezes para que mamãe e papai possam ter algumas horas de sono?

Pego o filhote do colo de Graham e o aperto. Ele lambe meu rosto, em seguida aninha a cabeça na curva de meu braço.

— Ele está cansado.

— Estou cansado também — diz Graham, bocejando.

Coloco o filhote em sua cama e o cubro com o cobertor. Nenhum de nós sabe nada sobre cachorros, então temos lido tudo sobre como treiná-los a usar a cama, o que comem, como devem ser disciplinados, o número de horas de sono ideal.

A coisa mais difícil de acertar até agora tem sido o sono. Ser os donos de um filhote traz certas dificuldades, mas a maior delas é a exaustão. Mas eu não trocaria isso por nada. Toda vez que aquele filhotinho me olha, derreto.

Graham e eu vamos para o quarto. Deixamos a porta aberta para ouvir o filhote, caso comece a chorar. Quando rastejamos para a cama, rolo em direção a Graham e pouso a cabeça em seu peito.

— Nem posso imaginar como é ter um recém-nascido em casa, se um filhote já dá todo esse trabalho — confesso.

— Você está se esquecendo de todas as nossas noites insones com Cúrcuma, Páprica, Canela, Açafrão, Alecrim e Salsa.

Eu dou uma risada.

— Amo você.

— Também amo você.

Eu me aninho ainda mais em Graham, e ele me abraça com vontade. Me esforço para cair no sono, mas minha mente continua escolhendo nomes de filhote até que estou certa de ter esgotado todas as possibilidades.

— Quinn. — A voz de Graham em meu ouvido é quente e baixa. — Quinn, acorde. — Abro os olhos e me afasto de seu peito. Ele aponta para algo atrás de mim e diz: — Veja. — Dou meia-volta e olho para o relógio, no momento que marca meia-noite. Graham se inclina e sussurra em meu ouvido: — Oito de agosto. Dez anos depois, e ainda estamos casados e felizes. *Eu avisei.*

Suspiro.

— Por que não estou surpresa que você tenha lembrado?

Não sei como não previ esse momento. O número oito carrega tanto significado para nós que a data jamais deveria ter me passado despercebida, mas tenho estado tão preocupada com o filhote esses últimos dias que não me dei conta de que hoje é dia oito de agosto.

— Agosto — sussurro. — É assim que vamos batizar o filhote.

Agradecimentos

A cada livro que escrevo, algumas pessoas leem os rascunhos iniciais que acabo jogando fora. Pessoas para as quais destruo as reviravoltas na trama. Mudo os diálogos. Transformo a leitura de minhas palavras em uma tarefa complexa. Em especial, as muitas versões de *Todas as suas (im)perfeições*. Um enorme obrigada a Kay Miles, Vilma Gonzalez, Marion Archer, Karen Lawson, Lauren Levine, Vannoy Fite, Kim Jones, Jo Popper, Brooke Howard e Joy Nichols por sempre serem honestos. E me apoiarem.

A Tarryn Fisher. Amo você e toda a sua família estúpida.

Obrigada a minha agente, Jane Dystel, e sua equipe incrível!

Obrigada à incrível equipe da Atria Books. A minha editora, Judith Curr, pelo apoio dos últimos cinco anos. A Ariele Stewart, minha NPTBF. Podemos apagar a primeira letra do acrônimo agora. A Melanie Iglesias Pérez, obrigada por tudo o que faz! E isso significa muita coisa! E a minha editora, Johanna Castillo. Quando tento colocar em palavras o quanto gosto de você, as palavras parecem idiotas. Amo você.

Obrigada a CoHorts. Um grupo de amantes de livros que alimenta meu ego e me lembra diariamente de quem quero ser.

Obrigada a FP. O 21 original. Credito todas as coisas boas em minha carreira àquele primeiro ano. O amor, apoio e empolgação que dividimos é uma coisa linda. Jamais esquecerei. Sempre vou valorizar cada um de vocês.

A meus meninos. Meus belos, maravilhosos homens. Graças ao pai de vocês, minha vida ainda pareceria completa se eu não tivesse tido nenhum de vocês. Mas nunca vou subestimar o fato de que os tive. Vocês alegram minha vida todos os dias. Espero que nunca parem de pedir que os coloque para dormir. Sinto muito orgulho de vocês.

E a meu marido, Heath Hoover. As poucas vezes em que o vi à beira das lágrimas foi por orgulho de nossa família. Nada me faria amá-lo e respeitá-lo mais. Quase tudo de bom em minha vida é por sua causa.